女生，我悄悄对你说

毕淑敏 — 著

中国青年出版社

目 录

第一辑　谁是你的闺密

年轻的时候，你除了可以决定自己的方向和选择之外，再就是可以决定心情。你不能改变很多东西，但你能改变自己的心情。所以，你可以决定日月，决定悲喜。

性别按钮 -010　◆　红与黑的少女 -018　◆　娘间谍 -024　◆　谁是你的闺密 -030　◆　藏獒与虎皮鹦鹉 -037　◆　校门口的红色跑车 -044　◆　出卖冥位的少女 -052　◆　走出黑暗巷道 -058

第二辑　我所喜爱的女性

生命从我们出生那天开始，就像箭一样地射向远方，我们能够在自己手里把持住的，只是我们此时此刻这无比宝贵的生命。

无形容颜 -068　◆　素面朝天 -072　◆　教养的证据 -076　◆　做女人的智慧 -081　◆　内在的洁净 -086　◆　我所喜爱的女性 -090　◆　示弱的力量 -092

第三辑　优秀女子的择偶标准

幸福就是没有痛苦的时刻,它的出现并不像我们想象的那样少。人们常常是在幸福的金马车已经驶过去很远后,才捡起地上的金鬃毛说:"原来我见过它。"

婚姻鞋 –096　◆　恋爱为什么无疾而终 –100　◆　垃圾婚 –106　◆　温暖的荆棘 –112　◆　眼药瓶的奥秘 –121　◆　姑娘,你最近还好吗 –128　◆　优秀女子的择偶标准 –132　◆　再婚的女人 –140　◆　柳枝骨折 –148

第四辑　女人什么时候开始享受

这个世界上一定有匪夷所思的奇迹,但更多的是持之以恒的努力和珍珠一样的汗水,脚踏实地、日复一日地在土地上耕耘。

我的五样 –152　◆　逃避苦难 –160　◆　女人什么时候开始享受 –164　◆　千头万绪是多少 –168　◆　蚕是被自己的丝裹住的 –174　◆　坦然走过乞丐 –178　◆　轰毁你心中的魔床 –182　◆　人生的沉思 –188　◆　我在寻找那片野花 –192　◆　哑幸福 –198　◆　和自己的血液分离 –200

目 录

第五辑 没有一棵小草自惭形秽

学会不怨天尤人,勇敢地担负起自己应负的责任,这是一种美德,并且会给自己带来意想不到的礼物,那就是,你将一手造就自己的经历,为自己带来好运气。

自信第一课 –204 ◆ 握紧你的右手 –210 ◆ 我很重要 –214 ◆ 为富人担保的穷人 –219 ◆ 发出声音永远是有用的 –225 ◆ 在生命的所有季节播种 –229 ◆ 向大珍珠母贝和好葡萄学习 –233 ◆ 没有一棵小草自惭形秽 –236 ◆ 机遇是心灵的阅兵 –240

第六辑 风往哪个方向吹

人在旅途,风向八方。有人四处走动,是为了寻找一个温暖的地方留下。有人不断告别,是因为没有谁能挽留他的脚步。有人不断超越,只因为梦想的指引无法止息。

梅花催 –244 ◆ 古早味道的冬瓜茶 –248 ◆ 远方有故事 –254 ◆ 风往哪个方向吹 –258 ◆ 九芒星的钥匙 –262 ◆ 常常爱惜 –264 ◆ 变化的哀伤 –268 ◆ 风的青睐 –270 ◆ 鱼在波涛下微笑 –273 ◆ 思想与心灵的感悟 –275 ◆ 今世的五百次回眸 –277

跋

珍惜泥沙俱下的生活 -282

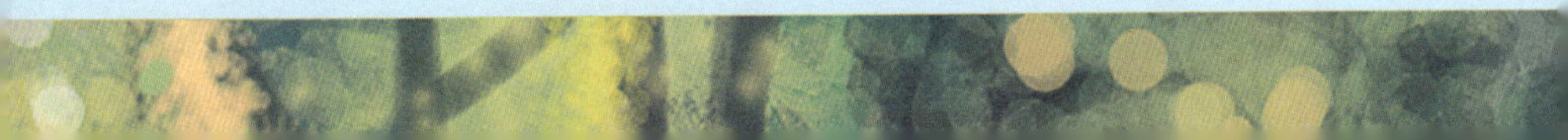

第一辑

谁是你的闺密

年轻的时候,你除了可以决定自己的方向和选择之外,再就是可以决定心情。

你不能改变很多东西,但你能改变自己的心情。

所以,你可以决定日月,决定悲喜。

性别按钮

假如我们身上有一个按钮,可以随时改变我们的性别,我将在一生的许多时候使用它。让我们假设按钮的颜色,男性为红女性为绿吧,因为我们这个民族素有红男绿女这样一个成语。

我想象自己的身体也许像交通繁忙的十字街头,红红绿绿闪烁个不停。

当我还是一个胎儿的时候,我选择女性。因为最新的科学研究证明:在女性特有的那两个 XX 染色体上,除了表示性别,还携带着许多抗病的基因。流产夭折的孩子多半是男婴,就是因了这个缘故。请别谴责我的自私,外面的世界这么喧哗美丽,我这辆小小的跑车,不能还没驶出车站就抛锚。

当降生终于开始的时候,我毫不犹豫地选择男性。我要向人世间发出最嘹亮动人的哭声,宣告一个生命——我的到来。一个理由是女孩子的哭声多半太秀气,自己就听得没情绪,最主要的原因是为了让我的亲人们高兴。无论社会怎样进步,中国人还是喜欢男孩。尤其在产房里的时候,生了男孩的妈妈眉飞色舞,生了女孩的妈妈低眉顺眼……为了能让自己的妈妈理直气壮,为了能让望眼欲穿的爷爷奶奶喜笑颜开,我只好义无反顾地选择男性。这可绝不是向世俗的偏见

低头，而只是想在出生的这一个瞬间，带给我的亲人更多的快乐。

我在襁褓中慢慢长大。这期间，做男婴还是做女婴都无所谓。在没有发明舒适的纸尿布以前，我想还是做男孩好一些，享受干爽的机遇比较多。随着科学的不断进步，这件小事不再能左右我揿动按钮。在这段人生最美好的时光里，我男女不辨地随意躺在绵软的带栅栏的小床里，用小手追逐缓缓移动的阳光，学会对着使我们愉悦的事物微笑。我们脱离了母体的温暖，独自面对自然界的风霜。我们尝试着对饥饿和病痛发出抗争，但我们其实很无奈。假如没有亲人的呵护，无论男孩还是女孩，我们都软弱。

像初夏的青苹果，我们缓缓地长大。这段时间如果一定要我选择，我就当女孩吧。因为在这期间，我们会无师自通地学会人世间最重要的知识——语言。女孩的舌头像鹦鹉，她们学话的速度比男孩快多了。虽说中国流传着"贵人语迟"的民谚，但我还是喜欢做个平凡人，早早地学会向他人表达自己的看法。

接着，我们突然像竹笋一样，日新月异地膨胀起来，不断地增长淘气本事。爬高上低，没头没脑地疯跑，在自己的脸上糊上泥，把玩具肢解得遍地都是，从一块石头疯狂地跳上另一块石头，在水里溅起一连串的水花……这都是男孩子的特权啊！我要做个男孩，把身上的红色按钮死死揿下。做男孩可以把鞋子踢烂、把衣服剐破、把手指划出血、把膝盖磕掉皮而不遭家长的斥责。男孩在玩耍上享有天然的豁免权，当他们无意间伤害了别人的财产和自己的身体时，大人们多半会宽容地说，嗨！男孩子嘛，就是这个样子！

女孩子可要倒霉得多。几千年的观念像一张透明的娇柔的网，将你裹得紧紧。你时刻感到不能自由自在地呼吸和手舞足蹈。你看得见外面的一切,却不能随心所欲地飞翔。你抗议的时候,别人会莫名其妙地说,没有呀?没有谁束缚你。真叫你有苦说不出。

开始上学了,我愿意回到女儿身。男孩子太顽劣了,屁股底下像有颗大滚珠,不会安安静静在椅子上待一刻。他们终究会意识到知识的重要,可是距那大彻大悟的关头,他们还要穿过漫长的隧道。在这个觉醒的过程中,他们恶劣的成绩,将被老师斥责,同学耻笑,家长软硬兼施,邻里议论纷纷……这种经历对一个人的心智是大考验。许多男孩就在这种挫折感中,失去了人最宝贵的自尊。而女孩,就比较的平顺,因为她们知道死用功。灵灵秀秀的女孩穿得干干净净,乖乖地举手发言,讨老师的喜欢。下了课,带着平平整整的作业本回家,给爸爸妈妈一个好成绩。小学真是一个女孩的黄金时代,她们像新生的豆荚饱满和嫩绿,充满着勃勃的生机。

到了十一二岁的时候,我要赶快把绿色按钮变换成红色按钮,再迟就来不及了。那位将陪伴每一个女人青春时代的殷红色朋友就要来啦!她每月一次的造访你无法拒绝,陪着她,你困倦激动好哭爱发脾气……惹不起,我们躲得起。

去做男人。

男人此刻异军突起。他们在一夜之间变得强健英俊,仿佛蜕尽了最后一层躯壳的知了,高高地飞到了白杨树梢,向全世界发出尖锐的鸣叫。尽管歌声还不够老练,但他们终究会成熟起来的。这个时期的男性永远是一个谜,你不知道他们是在哪一个早上,突然从男孩变成了男子汉。老天爷的鬼斧神工,毫不留情地把他们大脑的沟壑凿深,雕刻出他们坚毅的下巴和眉宇,慷慨地在制造他们潇洒智慧的同时,随赠了一大包的幽默。仿佛在不经意之间,他们流露出勇气与旷

达。当然啦，他们也脆弱，也孤独，也想入非非，也躁动不安，但鹿一般雄壮的气息缠绕着他们，他们在奔跑中不断完善。

岁月的炉火燃烧着，熔炼着男人和女人的金丹。

女人最美丽的季节到了。俗话说女大十八变，最动人的变化悄悄地发生着，我终于忍不住跑回去做女人了。

少女的头发像鸦羽一样闪亮，你盯着看久了，会闪出墨绿的光泽。瞳孔里因为蕴涵了过多的期望而显得秋水淋淋。肌肤像刚刚裱制出的白绸，细腻光滑无一丝波痕。柔曼的腰肢，玲珑的曲线，都带着稍纵即逝的精致。

她们的心绪，像一块绿毡似的秧田，看似平静，其实每一阵微风荡过，都引起所有的枝叶震颤。

草莓红了，芭蕉被雨淋湿，成熟的樱桃想飞到天上去，无所不在的万有引力又使它飘落黄土地。

无论女人有多少瑰丽的想象，她们一生中最重要的事，是寻找那个缺了肋骨的男人，重新嵌进他的胸膛。无论找到找不到，都有无尽的苦恼与欢乐。

男人和女人终于镶在一起了。

在女人行将破裂的那一瞬，我决定逸出她的躯壳，去做一个男人，因为此时的男人好威风啊！

婚后的男人，太累太累，好像追赶太阳的夸父，一头担着事业，一头担着家庭。出于怕苦怕累的天性，又使我翻回头去想做女人，但女人已开始孕育生命，这是充满创造也充满艰险的劳动，简直是女人一生中最大的劫难。

女人变得面目全非，身躯沉重，步履蹒跚。脸上趴着褐色的蝴蝶,曲线被圆弧毫不留情地替代。心脏汹涌地鼓荡着,供给着两个人的血脉。

那是生与死的循环啊。女人或者捧出两条生命,或者与她的婴孩一起沉没海底。

面对生命的链条,我怵惕地闭上眼睛。我真的不知该选择做男人还是做女人,也许人生就是无止尽的苦难,无论怎样巧妙地在礁石上跳来跳去,我们还是得被巨浪浇得透湿。

也许在真正美妙的融合中,男人和女人是一堵砌在高坡上的墙。你不可能将他们分开,你不可能说自己是其中的砖还是泥水。墙矗立着,或者轰然倒塌,或者很有风度地站上一千年,依然像刚完工那般新鲜。

真的,我们不必区分得太分明。一个好的男人和一个好的女人,在共患难的日子里,是一种奇怪的有四只脚和四只手的动物。他们虽然有两颗心,却只有一个念头——风雨同舟地向前。

新的生命诞生了。

从这儿以后,还是坚持做男人吧。哺育的担子太重,社会又对女人提出了太多的角色要求——在家是举案齐眉的贤妻良母,出外是叱咤风云的巾帼强人,父母膝下返璞归真的孝女,社交场合典雅华贵的夫人……一副副面具需要轮换着镶在脖颈上,深夜里女人会仰天叹息:我在哪里?

做男人就简明扼要多了。他们缓缓地但是坚定不移地向着既定的目标前进,好像一艘巨大的航空母舰。他们的轮廓在岁月中渐渐模糊,但内心仍坚定如铁。失败的时候,他们在人所不知的暗处,揩干净创口的血痕。当他们重又出现在太阳下的时候,除了觉出他的脸色略显苍白以外,一切如常。他们也会哭泣,但流出来的是血不是水。

血被风干了,就是美丽的玫瑰花,被他们不经意地夹在成功的证书里。

男人的自由多,男人的领域大。男人被人杀戮也被人原谅,男人编造谎言又自己戳穿它。男人可以抽烟可以酗酒可以大声地骂人,可以随意倾泻自己的感情。历史是男人书写的,虽然在关键的时刻往往被一只涂了蔻丹的指甲扭转,那也是因为在那只手的后面,有一个男人微笑地凝视着她。

我懵懵懂懂疲倦地走过了许多年,频繁地选择着性别按钮,连自己也感觉厌烦。似乎每一次选择的动机都是避重就轻,人类的弱点在选择中暴露无遗。

选择的机会不是很多了,我们已经老迈。

时间是一个喜欢白色的怪物,把我们的头发和胡子染成他爱好的颜色。他的技术不是太好,于是我们就变得灰蒙蒙。孩子长大了,飞走了,留下一个空洞的巢穴。由于多年在一起生活,我们吃一样的饭,喝同一种茶叶沏成的水,甚至连枕头的高度也是一致的。我们变得很相像,像一对古老的花瓶,并肩立在博物架上,披着薄薄的烟尘。

我们不可遏制地走向最后的归宿。我们常常亲热地谈起它,好像在议论一处避暑的胜地。其实我们很害怕,不是害怕那必然的结局,是害怕孑然一身的孤独。

我们争论谁先离开的利弊,男人和女人仿佛在争抢一件珍贵的礼物,都希图率先享受死亡的滋味。

在这人生最后一轮的选择中,我选择女性。

我拈轻怕重了一辈子,这次挺身而出。男人,你先走一步好了。既然世上万事都要分出个顺序,既然谁留在后面谁更需要勇敢,我就陪伴你到最后。一个孤单的老翁是不是比一个孤单的老妪更为难?让

我嚼这颗坚硬的胡桃到最后吧。

这是生命的分工，男人你不必谦让。

你病了，我会在你的床前，唱我们年轻时的歌谣。我会做你最爱吃的饭，因为你说过，除了你的母亲，这个世界上我做的饭最对你的口味。我们共同回忆以往的时光，把辛苦忙碌一辈子没来得及说的话，借病房的角落全部说完。

其实话是说不完的。

有一天，你突然说要告诉我一个秘密。你说男人都有自己的秘密，你对我这样好，其实我不值得你对我这样好……

你要用秘密回报我的真诚，这样使我在你死后不会太伤心。

我立刻用苍老的手，堵住你的嘴。我说，你别说，永远别说。我们之间没有秘密，最大的秘密就是我们怎样在茫茫人海中相识，从过去一直走到将来。

男人走了，带着他永远的秘密。

现在，我已无法再选择。

那两个红色绿色的按钮，已经剥脱了油彩，像两颗旧衣服上的扣子。

选择性别，其实就是选择命运。男人和女人的命运有那么多的不同，又有那么多的相同。

我最后将两颗按钮一起揿下，我不知道会发生什么样的事情。

它们破裂了，留下一堆彩色的碎片。

我作为一个女人，来到这个世界，我又作为一个女人，离开这个世界，似乎所有的选择都是徒劳。

不，我用一生的时间，活出了两生的味道。

红与黑的少女

来访者进门的时候，带来了一股寒气，虽然正是夏末秋初的日子，气候还很炎热。

女孩，十七八岁的样子，浑身上下只有两种颜色——红与黑。这两种美丽的颜色，在她身上搭配起来，却显得恐怖。黑色的上衣、黑色的裙，黑色的鞋子、黑色的袜，仿佛一滴细长的墨迹洇开，连空气也被染黑。苍黄的脸上有两团夸张的胭脂，嘴唇红得仿佛渗出血珠。该黑的地方却不黑，头发干涩枯黄，全无这个年纪女孩青丝应有的光泽。眼珠也是昏黄的，裹着血丝。

"我等了您很久……很久……"她低声说自己的名字叫飞茹。

我歉意地点点头，因为预约的人多，很多人从春排到了秋。我说："对不起。"

飞茹说："没有什么对不起的，这个世界上对不起我的人太多了，您这算什么呢！"

飞茹是一个敏感而倔强的女生，我们开始了谈话。她说："您看到过我这样的女孩吗？"

我一时不知如何回答好，就说："没有。每一个人都是特殊的，所以我从来没有看到过两个思想上完全相同的人，就算是双胞胎，也

不一样。"

这话基本上是无懈可击的,但飞茹不满意,说:"我指的不是思想上,我知道这个世界上绝没有和我一样遭遇的女孩——打扮上,纯黑的。"

我老老实实地回答:"我见过浑身上下都穿黑衣服的女孩,通常她们都是很酷的。"

飞茹说:"我跟她们不一样。她们多是在装酷,我是真的……残酷。"说到这里,她深深地低下了头。

我陷入了困惑。谈话进行了半天,我还不知道她是为什么而来。主动权似乎一直掌握在飞茹手里,让人跟着她的情绪打转。我赶快调整心态,回到自己内心的澄静中去。这女孩子似乎有种魔力,让人不由自主地关切她,好像她的全身都散发着一个信息——"救救我!"可她又被一种顽强的自尊包裹着,如玻璃般脆弱。

我问她:"你等了我这么久,为了什么?"

飞茹说:"为了找一个人看我跳舞。我不知道找谁,我在这个大千世界找了很久,最后我选中了您。"

我几乎怀疑这个女生的精神是否正常,要知道,付了咨询费,只是为了找一个人看跳舞,匪夷所思。再加上心理咨询室实在也不是一个表演舞蹈的好地方,窄小,到处都是沙发腿,真要旋转起来,会碰得鼻青脸肿。我当过多年的临床医生,判断她并非精神病患者,而是内心淤积着强大的苦闷。

我说:"你是个专业的舞蹈演员吗?"

飞茹说:"不是。"

我又说:"但这个表演对你来说,非常重要。为了这个表演,你等了很久很久。"

飞茹频频点头:"我和很多人说过我要找到看我表演的人,他们都以为我是在说胡话,甚至怀疑我不正常。我没有病,甚至可以说是很坚强。要是一般人遇到我那样的遭遇,不疯了才怪呢!"

我迅速地搜索记忆,当一个临床心理医生,记性要好。刚才在谈到自己的时候,她用了一个词,叫作"残酷",很少有正当花季的女生这样形容自己,在她一身黑色的包装之下,隐藏着怎样的深渊和惨烈?现在又说到"疯了",她到底发生了什么?

贸然追问,肯定是不明智的,不能跨越到来访者前面去,需要耐心地追随。照目前这种情况,我觉得最好的方法是尊重飞茹的选择:看她跳舞。

我说:"谢谢你让我看舞蹈,需要很大的地方吗?我们可以把沙发搬开。"

飞茹打量着四周,说:"把沙发靠边,茶几推到窗子下面,地方就差不多够用了。"于是我们两个嗨哟嗨哟地干起活来,木质沙发腿在地板上摩擦出粗糙的声音,我猜外面的工作人员一定从门扇上的"猫眼"镜向里面窥视着。诊所有规定,如果心理咨询室内有异常响动,其他人要随时注意观察,以免发生意外。趁着飞茹埋头搬茶几的空子,我扭头对门扇做了一个微笑的表情,表示一切尚好,不必紧张。虽然看不到门那边的人影,但我知道他们一定不放心地研究着,不知道我到底要干什么。其实,我也不知道下面会发生什么事情,只是相信飞茹会带领着我一步步潜入她封闭已久的内心。

场地收拾出来了,诸物靠边,室内中央腾出一块不小的地方,飞茹只要不跳出芭蕾舞中"倒踢紫金冠"那样的高难度动作,应该不会磕着碰着了。

我说:"飞茹,可以开始了吗?"

飞茹说:"行了,地方够用了。"她突然变得羞涩起来,好像一个非常幼小的孩子,难为情地说:"您真的愿意看我跳舞吗?"

我非常认真地向她保证:"真的,非常愿意。"

她用布满红丝的眼珠盯着我说:"您说的是真话吗?"

我也毫不退缩地直视着她说:"是真话。"

飞茹说:"好吧,那我就开始跳了。"

一团乌云开始旋转,所到之处,如同乌黑的柏油倾泻在地,沉重,黏腻。说实话,她跳得并不好,一点也不轻盈,也不优美,甚至是笨拙和僵硬的,但我一直目不转睛地看着,我知道这不是纯粹的艺术欣赏,而是一个痛苦的灵魂在用特殊的方式倾诉。

飞茹疲倦了,动作变得踉跄和挣扎。我想要搀扶她,被她拒绝。不知过了多久,她虚弱地跌倒在沙发上,满头大汗。我从窗台下的茶几上找到纸巾盒,抽出一大把纸巾让她擦汗。

待飞茹满头的汗水渐渐消散,这一次的治疗到了结束的时候,飞茹说:"谢谢您看我跳舞,我好像松快一些了。"

飞茹离开之后,工作人员对我说:"听到心理室里乱哄哄地响,我们都闹不清发生了什么事,以为打起来了。"

我说:"治疗在进展中,放心好了。"

到了第二周约定的时间,飞茹又来了。这一次,工作人员提前就把沙发腾开了,飞茹有点意外,但看得出她有点高兴。很快她就开始新的舞蹈,跳得非常投入,整个身体好像就在这舞蹈中渐渐苏醒,手脚的配合慢慢协调起来,脸上的肌肉也不再那样僵硬,有了一丝丝微笑的模样。也许,那还不能算作微笑,只能说是有了一丁点儿的亮色,让人心里稍安。

每次飞茹都会准时来,在地中央跳舞。我要做的就是在一旁看她旋转,不敢有片刻的松懈。虽然我还猜不透她为什么要像穿上了魔鞋一样跳个不停,但是,我不能性急。现在,看飞茹跳舞,就是一切。

若干次之后,飞茹的舞姿有了进步,她却不再一心一意地跳舞了,说:"您能抱抱我吗?"

我说:"这对你非常重要吗?"

她紧张地说:"您不愿意吗?"

我说:"没有,我只是好奇。"

飞茹说:"因为从来没有人抱过我。"

我半信半疑,心想就算飞茹如此阴郁,年岁还小,没有男朋友拥抱过她,但父母总会抱过她吧?亲戚总会抱过她吧?女友总会抱过她吧?当我和她拥抱的时候,才相信她说的是真话。飞茹完全不会拥抱,她的重心向后仰着,好像时刻在逃避什么,身体仿佛一副棺材板,没有任何温度。我从心里涌出痛惜之情,不知道在这具小小的单薄身体中,隐藏着怎样的冰冷。我轻轻地拍打着她,如同拍打一个婴儿。她的身体一点点地暖和起来、柔软起来,变得像树叶一样可以随风摇曳了。

下一次飞茹到来的时候,看到挤在墙角处的沙发,平静地说:"您和我一道把它们复位吧。我不再跳舞了,也不再拥抱了。这一次,我要把我的故事告诉您。"

那真是一个极其可怕的故事。飞茹的爸爸妈妈一直不和,妈妈和别的男人好,被爸爸发现了。飞茹的爸爸是一个很内向的男子,他报

复的手段就是隐忍。飞茹从小就感觉到家里的气氛不正常,可她不知道这是为了什么,总以为是自己不乖,就拼命讨爸爸妈妈的欢心。学校组织舞蹈表演,选上了飞茹,她高兴地告诉爸爸妈妈,"六一"到学校看她跳舞,爸爸妈妈都答应了。过节那天,老师用胭脂给她脸上涂了两个红蛋蛋,在她的嘴上抹了口红。当她兴高采烈地回家,打算一手一个地拉着爸爸妈妈看她演出的时候,见到的是两具穿着黑衣的尸体。爸爸在水里下了毒,骗妈妈喝下,看到她死了后,再把剩下的毒水都喝了。

飞茹当场就昏过去了,被人救起后,变得很少说话。从那以后,她只穿黑色的衣服,在脸上涂红,还涂着鲜艳欲滴的口红。飞茹靠着一袭黑衣保持着和父母的精神联系和认同,她以这样的方式,既思念着父母,又对抗着被遗弃的命运。她未完成的愿望,就是那一场精心准备的舞蹈,谁来欣赏?她无法挣扎而出,找不到自己存在的价值和重新生活的方向。

对飞茹的治疗,是一个极为漫长的过程,我们共同走了很远的路。终于,飞茹换下了黑色的衣服,褪去了夸张的妆容,慢慢回归正常的状态。

最后分别的时候到了,穿着清爽的牛仔裤和洁白的衬衣的飞茹对我说:"那时候,每一次舞蹈和拥抱之后,我的身心都会有一点放松。我很佩服'体会'这个词,身体里储藏着很多记忆,身体释放了,心灵也就慢慢松弛了。这一次,我和您就握手告别。"

娘间谍

我和她的相识,有点意思。我称她"娘间谍"——是她自己告诉我这个绰号的。我从小就很惊叹间谍的手段和意志力。

那天上班时分,传达室打来电话说,有一个女人,说是你的亲戚,找上门来,你见不见?我说,是什么亲戚呢?师傅说,她支支吾吾地说不清楚,我们觉得很可疑。你直接问她吧,检验一下,要是假冒伪劣,我们就打发她走。

师傅说着把话筒递给了那女人。于是,我听到一个低低的声音,耳语一般地说,毕作家,我不是你亲戚,可是我有重要的事情要对你说……啊,你怎么不记得我了呢,真是贵人多忘事啊,表姑全家还让我问你好呢!你赶快跟传达室的师傅说一下,让我上楼吧。他们可真够负责的了,不见鬼子不拉弦……师傅,您来听本人说吧……

后半截的声音明显放大,看来是专门讲给旁人听的。于是,我乖乖地对传达室同志说,她是我亲戚,请让她进来。谢谢啦!

几分钟后,她走进门来。个子不高,衣着普通,五官也是平淡而无奇的那种,没有丝毫特色,叫人疑惑刚才那番精彩的表演,是否出自这张平凡的面庞。

她不客气地坐下,喝茶。说,一个作家,又好找又不好找。说好找吧，是啊，报上有你的名字，实实在在的一个人，电脑这么发达了，找个人，按说不难。可是，具体打听起来，报社啊编辑部啊，又都不肯告诉你，好像我是个坏人似的……

我说，真是很抱歉。

她笑起来说，你道的什么歉呢？又不是你让他们不告诉我的。再说，这也难不住我，我在家里专门搞侦破，我女儿送我一个外号，叫——"娘间谍"。

我目瞪口呆。半晌说，看来，你们家冷战气氛挺浓的啊。

她收敛了笑容说，要不，我还不找你来呢！你能不能帮帮我？

我说，到底出了什么事？

她说，我就这一个女儿。我丈夫和我都是高工，就像优良品种的公鸡母鸡就生了一个鸡蛋，你说，我能不精心孵化吗？从小我就特在意女儿的一言一行。小孩子要是发烧，三等的父母是用体温表，水银柱蹿得老高了，才知道大事不好。二等的家长是用手摸，哟！这么烫啊！方发觉孩子有病了。我是一等的母亲，我只要用眼角这么一扫，孩子眼珠似有水气，颧骨尖上泛红，鼻孔扇着，那孩子准是发烧了，我这眼啊，比什么体温表都灵。

女儿小的时候，特听我的话。甭管她在外面玩得多开心，只要我在窗台上这么一喊，她腾腾地拔脚就往家跑。有一回，跑得太快，膝盖上磕掉了那么大一块皮，血顺裤腿流，脚腕子都染红了。邻居说，看把你家孩子急的，不过是吃个饭，又不是救火，慢点不行？我说，她干别的摔了，我心疼，往家跑碰了，我不心疼。听父母的话，就得从小训练，就跟那半个月之内的小狗似的，你教出来了，它就一辈子听你的，要是让它自由惯了，大了就扳不过来了。

 女生，
我悄悄
对你说

左邻右舍都知道我有一个说一不二的女儿，我也挺满意的。现今都是一个孩子，我们今后就指着她了。让她永远和父母一条心，就是自己最好的养老保险。

我忍不住打断她说，你这不是控制一个人吗？

她说，你说得对啊，不愧是作家，马上抓到了要害。要说我这个控制，还和一般的层次不一样，我做得不留痕迹。控制最基本的要素，就是掌握信息。叶利钦凭什么掌握着核按钮？不就是他知道的信息比别人多吗？对儿女，你知道了他的信息，你就掌握了他的思想。你想让他和谁来往，不想让他和谁来往，不就是手到擒来的事了吗？比如她常和哪些同学联系，我并不直接问她，那样，她就会反感。年轻人一逆反，完了，你让他朝东他朝西，满拧。我使的是阴柔功夫。我也不偷看她的日记，那多没水平，一下子就被发现了。现在的孩子，狡猾着呢。我呀，买了一架有重拨功能的电话机。她不是爱打电话吗，等她打完了，我趁她不在，啪啪一按，那个电话号码就重新显示出来了。我用小本记下来，等到没人的时候，再慢慢打过去，把对方的底细探来。这当然需要一点技巧，不过，难不倒我。

我点点头，不是夸奖这等手段，是想起了她刚在传达室对我的摆布。

她误解成赞同，越发兴致勃勃。

女儿慢慢长大了，上了大学，开始交男朋友，这可是一道紧要关口啊！我首先求一个门当户对，若是找个下岗女工的儿子，我们以后指靠谁呢？所以，我特别注重调查和她交往的男孩子的身世，一发现贫寒子弟，就把事态消灭在萌芽状态。

我说，这能办得到吗？恋爱的通常规律是——压迫越重，反抗越凶。

她说,我不会用那种正面冲突的蠢办法。我一不指责自己的女儿,那样伤了自家人的和气,二不和女儿的男友直接交涉,那样往往火上浇油。我啊,绕开这些,迂回找到男方的家长,向他们显示我家优越的地位,当然,这要做得很随意,叫他们自惭形秽。述说女儿是个骄娇小姐,请他们多多包涵,让他们先为自己儿子日后的"气管炎"捏一把汗。最后,做一副可怜相,告知我和老伴浑身是病,一个女婿半个儿,后半辈子就指望他们的儿子了……她说到这里,得意地笑了。

我按捺住自己的不平,问道,后来呢?

她说,后来,哈哈,就散伙了呗。这一招,百试百灵。我总结出了一个经验,下层劳动人民,自尊心特别强,神经也就特脆弱。你只要影射他们高攀,他们就受不了了。不用我急,他们就给自己的小子施加压力,我就可以稳操胜券坐享其成了。

我说,你一天这般苦心琢磨,累不累啊?

她很实在地说,累啊!怎么能不累啊!别的不说,单是侦察女儿是不是又恋爱了,就费了我不少的精力。后来,我发现了一个好办法,说出来,你可不要见笑啊。女儿是个懒丫头,平日换下的衣服都掖在洗衣机里,凑够了一锅,才一齐洗。我就趁她走后,把她的内裤找出来,仔细地闻一闻。她只要一进入谈恋爱,裤子就有特殊的味道,可能是荷尔蒙吧,反正我能识别出来。她不动心的时候,是一种味道,动了真情,是另一种味道……那味儿一出现,我就开始行动了……近来她好像察觉了,叫我"娘间谍",不理我了。你说我该怎么办?

天啊！我大骇，一时间什么话都对答不出。在我所见到的母亲当中，她真是最不可思议的。

我连喝了两杯水之后，才把自己的情绪稳定住。我对她讲了很多的话，具体是些什么，因为在激动中，已记得不很清楚了。那天，她走时说，谢谢你啦！我明白了，女儿不是我的私有财产，我侵犯了女儿的隐私权。我会改的，虽然这很难。

我送她下楼，传达室的师傅说，亲戚们好久没见，你们谈挺长时间啊。

我叹口气说，是啊，我很惦念她的女儿啊。

分手时，娘间谍对我说，你要是有工夫，就把我对你说过的话，写出来吧。因为我得罪了不少人，也没法一一道歉了。还有我的女儿，有的事，我也不好意思对她说。你写成文章，我就在里面向大家赔不是了。

娘间谍走了，很快隐没在大街的人流中，无法分辨。

谁是你的闺密

某天,我看到工作人员正在清理一堆小山似的硬币,好像是哪个孩子当场砸碎了他的宝贝扑满。我很奇怪,心理机构不是超市银行,似乎不应该搜集如此多的硬币。助手们都很尽职,平常绝不会在业务场所处理私事,看来这些硬币和工作有关。我实在想不明白:硬币和心理咨询有何关系?

助手看我纳闷,就说,这是一个孩子交来的预约咨询费用。我一时愣怔,心想,孩子的钱,是不是应该减免?助手看我不说话,以为我是在斟酌钱的数量,就说,这是那个孩子所有的钱,我打算自己帮她补足。

我说,钱的事,咱们再说,我想知道孩子是跟着谁来的。

按照惯例,孩子的问题,都是父母发现后焦虑不安地领来求助。

助手说,这孩子是自己来的,用压岁钱来付费,父母根本不知道她要来看心理医生。助手说着,把她的登记表递过来。

工工整整的字迹填写着:张小锦,女,十三岁,本市中学初中一年级学生……

见到张小锦的时候,我吃了一惊。本以为这么敢作敢为挺有主意的孩子一定人高马大,却不料她十分瘦小,穿橙色校服蜷在沙发中,

好像一粒小小的黄米。

我说,你遇到了什么事情,需要我们的帮助?

瘦小的张小锦说起话来嗓门挺大,音调喑哑,有点像张柏芝,仿佛轻巧的身躯里藏着一根摔裂的长笛。张小锦咬牙切齿道:我请你帮助我——除掉我妈的朋友!

我着实被吓了一跳,这个开头,有点像黑帮买凶杀人。我说,你很恨你妈妈的朋友?

张小锦说,那当然!请你千万不要把我的话告诉任何人。你要发誓,永远不能说。

这可让我大大地为难了。就算她是一个孩子,如果她图谋杀人,我也要向有关机构报告。如果我拒绝了张小锦的要求,她很可能就拒绝和我说知心话了,帮助便无从谈起。我避开话锋,慢吞吞地回答,你能告诉我,你说的"除掉妈妈的朋友",是什么意思?

"除掉"通常是血腥的。警匪影片中将要杀死某个人的时候,匪徒们会窃窃私语,吐出这个词。张小锦回答说,我的"除掉"就是让这个朋友离开我家!不要和我妈没完没了说个不停,让我妈多拿出一点时间来陪我,遇事别老听这个朋友的,也和我聊聊天,也听听我的想法……

原来是这样!在张小锦的词典里,"除掉"并不是杀死,只是离开。我稍稍松了一口气,说,张小锦,看来你妈妈和你交流不够,你对此很有意见啊。

张小锦遇到了知音,直起身板说,对啊!我妈有什么心事,只和朋友说,不和我说。我们家的事,是和她朋友关系密切啊,还是和我密切啊?

张小锦黑亮的眼珠凝神盯着我,目光中带出急切和哀伤。

我立即表态,你们家的事,当然是和你关系最密切了。

这让张小锦很受用,她说,对啊!那个朋友一天到晚老缠着我妈,让我妈离婚,破坏我们家的和睦!说着,她长长的睫毛润湿了。我递过去几张纸巾,张小锦执拗不接,只是不停地眨巴眼睛,希望眼帘把泪水吸干,睫毛就聚成几把纤巧的小刷子。

看来张小锦家充满了矛盾和危机,她妈妈的朋友也许正是罪魁祸首。我说,小锦,是妈妈的朋友让你们家庭变得不幸福了?

张小锦一个劲儿地点头,正是!

我说,妈妈的坏朋友具体是个怎样的人?

张小锦突然有点踌躇,说,其实这人也不算太坏,逢年过节都会给我买礼物,是我妈的闺密。

晕!我一直以为妈妈的朋友是个男人,甚至怀疑他就是破坏张小锦家的第三者。现在才知道,朋友是个女的!有一瞬间,闪过张小锦的妈妈是不是个双性恋的念头。要不然,怎么两个女人之间的关系会引发张小锦这样大的恼怨!

咨询师的脑海就像一台高速运转的电子计算机,来访者的任何一句谈话,都会在咨询师脑海中引发涟漪。一千种可能性像漂流瓶在波涛中起伏,你不知道哪一只瓶内藏着来访者心中的魔兽。也许你以为是症结所在,穷追不舍,紧紧跟踪,结果不过是一朵七彩泡沫。也许你忽视的只言片语,却潜藏着最重要的破解全局的咒语。这一次,我的方向差了。

我想起了老师的教导:你不能以自己的主观猜测代替事实的真相,你永远不能跑到来访者的前面去,你只能跟随……跟随……还是跟随。

我调整了心态，对张小锦说，你妈妈和女友之间的关系，让你嫉妒。

张小锦不解地重复，嫉妒？我好像没有想到这一点。

我说，以前没想到不要紧，现在开始想也来得及。

张小锦偏着脑袋想了一会儿说，好吧，你说我嫉妒，我承认。人家都说女儿是妈妈的小棉袄，可我妈妈硬是把我当成了破大衣，心里有话都不跟我讲。

我说，你妈妈的心里话是什么呢？

这一次，张小锦反常地沉默了，很久很久。如果我不是一个训练有素的心理师，也许我就睡着了。我等待着张小锦，我知道这些话对她一定非常重要，讲出口又非常困难。

终于啊终于，张小锦说，哼！他们都以为我不知道，他们合伙儿来骗我。我也愿意装出一副傻相，让他们以为我不知道。他们自以为知道一切，其实我在暗里比他们知道得更多！

简直就是一个绕口令！我彻头彻尾被这个有着沙哑嗓音的女生弄糊涂了。我要澄清，在她的词典里，"他们"——是谁？

是我爸爸，我妈妈，还有那个和我爸爸相好的女人。当然，还有我妈妈的闺密……张小锦的话匣子终于打开了。

原来，张小锦的爸爸有了外遇，和另外一个女子暧昧，被放学回来的张小锦撞见了。从此，张小锦见了爸爸不理不睬，爸爸反倒对张小锦格外好。张小锦决定不把这件事告诉妈妈，因为那样家就很可能破碎，她知道那些父母离婚的同学基本上都很自卑。张小锦心想，只要妈妈不发现这件事，家庭就能保全。她一次又一次地帮着爸爸遮掩，让妈妈蒙在鼓里。

然而，妈妈还是察觉到了某种蛛丝马迹，开始敏感而多疑。张小锦很怕出事，就故意胡闹，分散妈妈的注意力，实在没法子了就生病。无论妈妈多么在意爸爸的一举一动，只要张小锦一发烧，妈妈就把所有的注意力都放到了张小锦身上，无暇他顾，爸爸的危机就化解了。可爸爸不知悔改，变本加厉，张小锦就是再用十八般武艺转移妈妈的注意力，妈妈还是越来越接近真相了。

妈妈对自己的好朋友痛哭一场和盘托出。这位闺密是个刚烈女子，疾恶如仇。她不断和妈妈分析爸爸的新动向，号召妈妈奋起抗击。妈妈很痛苦，和闺密无话不谈，最近已经到了商议如何去法院告道德败坏的爸爸，讨论分割财产和张小锦的归属……张小锦用大量的精力偷听她们的谈话，惊恐万分。

好比外敌入侵，妈妈的闺密是主战派，张小锦是主和派。张小锦要维护家园，当务之急就是除掉闺密！她走投无路，不知道跟谁商量。跟同学不能说，要维持幸福家庭的假象；跟亲戚不能说，爸爸妈妈都是好面子的人，张小锦不愿亲人们知道家中正在爆发内乱；跟老师也不能说，她害怕老师从此把她归入需要特别关心爱护的群体。百般无奈的张小锦想到了心理医生，就把所有的私房钱都拿出来做了咨询费。

听完了这一切，我把张小锦抱在怀里，她像一只深秋冷雨后的蝴蝶，每一根发丝都在极细微地颤抖，不知道在这具小小的躯体里隐藏了多少苦恼与愤怒！她还是个孩子啊，却肩负起了成人世界的纷争，为了自己的家庭，咽下了多少委屈、辛酸的苦果！

许久后，我说，小锦，设想一个奇迹，假如你妈妈的闺密突然消

失了,你们家就能平静吗?

张小锦认真想了一会儿,说,可能会平静几天吧。但我妈妈已经起了疑心,她会穷追到底,我爸爸迟早得露馅儿。

我说,这么说,闺密并不是事情的症结……

张小锦是个聪明孩子,马上领悟过来,说,事情的根本是我爸妈自己!

我说,你同意我请你的爸爸妈妈到这里来,咱们一同讨论你们家的情况吗?

张小锦害怕地抱着双肩说,他们会离婚吗?

我说,不知道,咱们一块儿努力吧。只是有一条,这一次,你不能装作什么都不知道,你要把你所知道的一切和感受都说出来,包括你对父亲第三者的印象,还有你对闺密的看法,你要表达你对父母的期待和对一个完整的家的爱。

张小锦说,天啊!在爸爸妈妈眼里,我一直是个善解人意的乖乖女,这下子,我岂不是变成了刺探情报两面三刀的小间谍?!不干!不干!

我说,这是否比你失去爸爸妈妈和家庭瓦解更可怕?

张小锦捂着眼睛说,好吧,我知道什么事最可怕。

我们和张小锦的爸爸妈妈取得了联系,他们一同来到咨询室。经过多次的家庭讨论,这其中有很多激战和眼泪,张小锦的爸爸终于决定珍惜家庭,和第三者一刀两断。妈妈也说看在小锦的一番苦心上,给爸爸一个痛改前非的机会。

最后一次咨询结束,张小锦离开的时候悄悄地对我说,现在,我也有了一个闺密,给我出了个好主意。

我说,谁呀?她说,就是你啊!

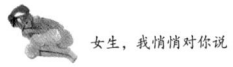
女生,我悄悄对你说

藏獒与虎皮鹦鹉

一天,咨询室来了一位少女,相貌平平,身材中等,神情也很寡淡,没有热情,也没有强烈的拒绝或是好奇。她穿着一身混浊的白色纯棉衣服,带着很多口袋和皱褶,让人不由得想起一块微潮的抹布,既不可能很快燃烧,也拧不出水来。

陪同她来的是她的母亲,一位富态而考究的中年妇女。当着妈妈的面,这女孩是委顿和沉默的。妈妈被留在门外之后,她坐在沙发上,脸孔始终向着窗户的方向,好像随时准备站起身来钻窗而去。

她说自己叫桑如,是被妈妈强逼着来看心理医生的。

我问她,你多大了?(其实,我手旁就放着她的登记表,那上面写着她的年龄。但我愿意请她亲口再次说出自己的岁数,这样,有利于提醒她对自己负起责任。)

我上高一,十六岁半了。桑如回答说。

我点点头,说,对于一个十六岁的人来说,是可以自己决定要不要看心理医生的。如果你非常不愿意,我觉得你可以走了,至于你母亲那里,由我来和她解释。我会说,我们要尊重一个十六岁的年轻人对自己的判断,如果她觉得自己不需要心理医生的帮助,自己完全可以解决问题,那很好。现在,如果你想离开,门在那边。

这个建议的确不是我个人的心血来潮。在美国访问的时候,美方心理医生告诉我,对于十岁以上的少年,他们都会征询来访者的意见。如果该少年强烈地拒绝接受心理医生的辅导,他们便不会强迫他们。这是很有道理的——心理医生是助人自助的工作,如果某人拒绝帮助,那么你就是有再大的热情,也是枉然。

桑如对我的回答,显得很意外,甚至有点不知所措。她反问道,这是真的吗?

我说,当然是真的了。

她愣了半天,好像对突然获得的自由很有点不习惯,站起身来,又坐下了,说,如果您真让我决定,那我就不走了。我觉得您和别的成年人不一样,居然让我自己做决定。

我笑起来,说,你指的别的成年人是谁呢?

桑如用手指点点门外,说,比如说我的爸爸妈妈啊。他们不让我做这个,不让我做那个,什么都要听他们的,连我用的卫生巾买什么牌子,都得我妈妈说了算。真是太烦了!

我深深地点点头,表示明白了她的心境。我说,谢谢你这样信任我。既然你愿意接受我的咨询,那么,咱们今天要讨论什么问题呢?

桑如说,我妈妈本来是想让我和您谈谈人际关系的事。我不愿意和别的同学交往,自己也很苦恼,我不知道如何和别人相处。可我今天不想谈这个问题,我希望您能帮我决定一下,到底养个什么宠物好。说完,桑如充满期待地看着我。

现在,轮到我稍稍忐忑了。养宠物?这对我真是一个新问题,第一个念头是——我不是兽医,怎么会知道哪种宠物好?好在我很快整理好了自己的思绪,捕捉到这个问题的核心——不在于桑如到底

养一只什么样的宠物，而在于她为什么生出这个念头。

不过目前我不能走得太快，只能跟随在桑如后面。我说，好啊，我很愿意帮你出出主意，你打算养的宠物备选名单是什么？

桑如一下子变得兴致勃勃，说，我最想养的是藏獒。

我吓得差点没从沙发上跌落下来。我在西藏当过兵，见过这种凶悍无比的犬类。它们高大威猛，极端吃苦耐劳和忠于主人，为了保护羊群，甚至可以和群狼搏斗。藏獒当然是值得尊敬的，但面前这样一个清瘦女孩要把藏獒当宠物养，恐怕并不相宜。

我说，藏獒需要很大的活动场地，属于旷野。再说它们是大型犬，城里不让养的。价钱也很贵，我记得看过一篇报道，一只好的藏獒要很多钱呢。

桑如立刻说，那么，我养一只哈巴狗如何？

藏獒和京巴，在性格上实在是南辕北辙，桑如居然这么快就改弦易辙，这让我对她养宠物的初衷更纳闷。我说，你为什么又改养哈巴狗呢？

桑如说，我喜欢藏獒的忠诚，但城里不让养，我也没办法。哈巴狗对人非常友善，而且，你让它干什么，它就干什么，整天围着你的裤腿转，可会讨好人了。

原来是这样！我说，京巴倒是可以养的。只是，你会每天喂它吗？你每个星期给它洗澡吗？你愿意清扫它的狗窝、清理它的粪便吗？还有，每天都要带着它到外面去撒欢，如果用行话来说，就是"遛狗"。狗还要按时打预防针，如果你的哈巴狗把你自己或是别人咬伤了，就要马上到医院注射狂犬疫苗，并且不是一次就能完成，要好几次。

桑如吓得吐了吐舌头,说,哟!这么复杂!

我说,还有更多的事情等着你。如果它病了,你要抱着它到宠物诊所看病,如果它需要手术,你要守候在它身边……

桑如听到这里,连连摆手说,天啊!这么麻烦!那我不养狗了,我改养一只猫,这就简单了吧?

我说,恐怕也不像你想的那样简单。首先,猫像狗一样,也要大小便,这样你收拾它们排泄物的工作并不能免掉。猫也要洗澡,也要到外面玩耍。它们在外面的时候,你不知道它们会捕获什么猎物,也许是虫子,也许是小鸟,这是猫的天性,你不能阻止它们,它们也许会带回来一些病菌。春天是猫繁殖的季节,它们会大声叫,如果你不想让它们叫,就要给猫做手术。而且,猫为了磨它们的爪子,一般都会撕纸,这也是它们的天性。

桑如惊叫起来说,我的作业本!我的书!如果猫不管不顾地撕坏了它们,我要重写一遍吗?天哪,我不养猫了,我养一对小鹦鹉成不成呢?

我说,当然可以啦!

桑如说,我会训练让它们说话,有它们和我做伴,我就不会寂寞了。

我心中一动,明白了症结就在这里,但此刻不是点破的好时机。顺着桑如的思路走,我说,是那种翠绿的虎皮鹦鹉吗?

桑如说,对啊,就是有绿色、蓝色、黄色羽毛的小鹦鹉,好像穿着丝绸的外套,闪闪发光。

我字斟句酌地说,鹦鹉的羽毛是需要经常打扫的,不然飘落在地上变成粉尘,很容易传播疾病。我记得有一种很著名的传染病,就叫

"鹦鹉热"。另外，据我所知，这种花色绚烂的小鹦鹉并不会说话，会说话的那种叫作"鹩哥"。就算有个别极其聪明的小鹦鹉，你训练到它能说话了，估计也是非常简单的"你好"之类，并不如你想象的那样可以陪你聊天。就算最棒的鹩哥，能说的话也很有限，它们只是模仿，并不会动脑子。

桑如生起气来，打断我的话，说，您这也不让养，那也不让养，处处给我设障碍！

我说，桑如，我并不是不让你养宠物，我没有这个权力。只是，我认为，每一个预备养宠物的人，都要事先搞清楚宠物的脾气，知道它们的习性，觉得自己能够担当得起，再来和宠物相处。如果因为自己有很多问题解决不了，以为养了宠物就可以逃避现实，那不但是对自己不负责任，也是对宠物不负责任。毕竟，人间的问题，只能在人间解决。

桑如听了我的话，许久不作声，看得出非常沮丧。

我轻轻地问，桑如，能告诉我你为什么要养宠物吗？

就这样一句普通的问话，却让桑如哭泣起来。她说，我太孤独了，同学们都不愿意和我玩，他们说我是一个没意思的人。我不知道如何交往，就想，哼，你们不理我，我也不理你们，我要和小动物一起生活。只有它们不会嫌弃我，不会嘲笑我，会很忠于我。我让它们干什么，它们就会干什么，绝不会背后议论我……它们是多么安全可靠的朋友啊……

原来，桑如想养宠物的初衷，是为了解决自己的人际关系问题。看来，桑如母亲的判断并没有出错，只是，桑如的母亲也许不知道，女儿的怯懦无趣正是和她对桑如的过度保护有关。在母亲眼里，桑如永远是长不大的小女孩，一切都要由母亲做主。这一切，让桑如不曾学会如何同小伙伴们相处，到了青春逆反期，就越发孤独。桑如很苦恼，她要为自己寻找一个突破口，找到温暖与信任，找到安全与友爱，于是，她只有求助于宠物。

我全神贯注地倾听桑如的痛苦，听她断断续续地说被同学奚落和孤立……第一次的咨询时间很快就过去了。临走的时候，桑如怯生生地说，我下周还可以来看您吗？

我说，当然可以了。不过，这要你自觉自愿，不要妈妈陪着。

桑如破涕为笑说，当然是我自愿的。

私下里，我同桑如的妈妈谈了一次。当然，我并没有把和桑如的具体谈话内容告诉她妈妈，只是希望桑如妈妈能正视女儿已经十六岁了这个现实，该放手的时候就要大胆放手。桑如妈妈答应了。

经过若干次的咨询以后，桑如渐渐灵动起来，她开始学会和同学们友好相处，甚至还准备了一些小笑话，打算在春游的时候讲给同学们听。咨询时，她说，我先试着把笑话讲给您听听，如果您笑了，我就敢对着同学们讲了。

我认真地听完了桑如的笑话，开心地笑了。说实话，不是因为桑如的笑话有多么可笑，实在是我看到了她的成长，充满欢愉。

桑如后来说过一句让我长久不能忘怀的话，她说——人最好的宠物，其实就是自己。

校门口的红色跑车

女人们对自己的感情经历,大体上可分为三种:一种是讲,逢人就讲,对熟悉她和不很熟悉她的人,甚至车船旅途中的萍客,都可倾诉。一种是不讲,埋得深深,不少人把它像一种致命的病菌一样,带进坟墓。第三种是通常不讲,但在某一特别的场合和时间下,会对人讲。那种时刻,如果我恰巧成为听众的话,常常生出感动。因为我知道,此时一定有什么特别的情形,痛切地触动了她的内心。我也要感激她对我的信任和这一份特别的缘分。

那一夜,月亮非常亮。据说是六十三年以来,月亮最亮的一个晚上。女孩对我说。

我是师范院校的学生。读师范的女生,基本上都是家境贫寒的,长相通常也不很好。这样说,我的女同学们,可能会不服气,但我说的是实话,包括我自己,相貌平平。大约读大二的时候,我们就可以做家教了。其实那时,我们和普通大学生所上的课,并没有大的区别,还没学到教学教法什么的,也不一定就能当好如今独生子女的小先生。师范院校的牌子挺能唬人的,再说我们特需要钱来补贴,所以,同学们就自己组织起家教"一条龙"服务,每天派出代表,在大街上支个桌子,上书"家教"二字,等着上门求助的家长,接了活儿后再分给大家。谁领到了活儿，会从自己的收入当中，抽一部分给守株待兔的同学——我们称他们为"教提"。

有一天，教提对我说，给你分一个大款的女儿，你教不教？我说，钱多不多？他说，官价。我说，你还不跟大款讲讲价？他苦笑着说，讲了，不成，人家门儿清。我说，好吧，官价就官价。他说，那明天下午四点，范先生驾车到大门口接你。

第二天，我提前五分钟到了学校门口。没人。我正好把自己的服装最后检视一遍。牛仔裤，白T恤——挺得体的，既朴素又充满了活力，而且这是我最好的衣服了。

四点整，一辆我叫不出来名字的红跑车飞驰而来，停在我面前，一位潇洒的中年男人含笑问道：您是黎小姐吗？

我姓李，他讲话有口音，我也就不计较了，点点头。我说，您是范先生吗？他说，正是。咱们接上头了，快请上车吧，我女儿正在家等你呢。

我上了车，坐在他身边，车风驰电掣地跑起来。我从来没有坐过如此豪华的车，那感觉真是好极了。他的技术非常娴熟，身上散发着清爽的烟草和皮革混合的气味，好像是猎人加渔夫。总之，很男人。

他一边开车一边说，女儿的英语基础不是很好，尤其是胆小，不敢会话。口语的声音弱极了，希望我不要在意。我的目光注视着窗外飞速闪动的街景，不停地点头……心想，同样的建筑，你挤在公共汽车上看，和坐在这样高贵的车里看，感受竟有那么大的差别啊。

很快到了一片"高尚"住宅区（我对这个词挺不以为然的，住宅区也不是品质，凭什么分高尚和卑下呢），在一栋欧式小楼面前停下，他为我打开车门时说，我的女儿英语考试成绩每提高一分，我就奖给你一百块钱。

我充满迷惘地问他,你女儿的英语成绩,和我有何相干呢?我是来教历史的。

那一瞬,我们大眼瞪小眼。然后异口同声地说:"对不起,错了。"他赶紧带上我,驱车重回校门口,接上那位教英语的黎同学回家,而我找到已经等得很不耐烦的范先生。

说实话,那天我对范先生的女儿很是心不在焉。这位范先生虽说也是殷实人家,但哪能与那一位范先生相比呢?我心里称那位先入为主的为范一先生。

晚上,我失眠了。范一先生的味道,总在我的鼻孔里萦绕。我想,住在那栋小楼里的女人,该是怎样的福气呢?不过,想来素质也不是怎样的好吧?不然,她的女儿为什么那么胆小?要是我有这样的先生和家业,会多么的幸福啊……

想归想,这年纪的女生,谁没有一肚子的幻想呢?天一亮,我就恢复正常了,谁叫咱是灰姑娘呢!下午四点之前,我又到了校门口,范二先生说好了再来接我。可能因为头天迟到的缘故,我到得格外早。

走近校门,我的心咚咚跳起来——又看到了那辆非凡的红色跑车。我悄悄站在一旁,因为和我没关系,他是来接英语系的黎同学的,这很好理解。

没想到,那辆红跑车,如水鸟一样无声地滑到我面前,范一先生温柔地笑着说,李小姐,你好。

我说,您到得很早啊。

范一说,昨天我正点到时,你已经到了,所以我想你今天还会到

得早，果然不错。我喜欢守时的人，咱们走吧。

他说着，打开了车门。

我说，范先生，昨天错了。

他笑笑说，昨天错了，今天就不能再错。我已将黎同学炒了，重新雇用你。

我很吃惊，说，您怎么会知道今天我们能见面？

他说，不要这么惊奇，你惊奇的样子，可爱极了。对于一个商人来说，这点信息有什么难呢？历史系，一个姓氏和"黎"近似的有着魔鬼身材的女生，现正做着家教……就这样啊。

我扶着车门说，我不是英语系的。

他说，你的大学只要是考上的，就可以教我女儿的英语……上车吧，我女儿已经在等了。

在车上，所有昨天的感觉都复活了。正当我沉浸在速度的快感之中时，范一先生打断了我的美好感受。他说，看来你对自己太不在意了。

我说，此话怎么讲？

他说，你穿着和昨天一模一样的衣服，有你这样魔鬼身材的女孩，应该善待自己才是。

我说，一个穷学生，是无法善待自己的。

他说，我也当过穷学生，你的处境我能体会。但是，别忘了，你有资源啊。

我说，我有什么资源啊？芸芸众生而已。

他说，你的身材非常好，我昨天一眼就被吸引了。一个人，长相好，其实相对来讲比较容易。一张脸，才有多大的面积？对比匀称不

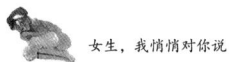

算难。就是有些小的瑕疵，比如眼睛不够大，鼻梁不够挺直，做做整容也不难，巴掌大的地方，就那么几组零件，好安排。可一个人的身材，波及全身所有的结构，头颅过大过小都不成，脖子不长不行，脊柱要挺拔，胸腰的比例要适宜，腿更是重中之重，要是短了，纵使闭月羞花也白搭……你呢，刚刚好，所有的搭配都天造地设，你要懂得珍惜啊。而且我提醒你，女性的身材，是很脆弱的结构，上了年纪，就不一样了。锻炼出来的，节食出来的，和天然的，是不一样的……好了，我们到了。

又是那座小洋楼，但我无心观赏它的精致。我的心被范一先生的逻辑催动，变得不安分了。这就像一个穷人，守着自己的几亩薄田苦熬，突然有一天有人对你说，你田里长的那些草，都是人参啊，你还能心平气和吗？

不过，那天我还是抖擞起精神，辅导范一先生的女儿。我对女主人的羡慕和嫉妒，都不存在了。这是一个没有女主人的家庭，因此，那女孩十分孤独内向。她的英语其实不是很差，只是因为不敢说，成绩才糟。

范一对我很满意，约定以后天天接我来做家教。我说，都是这辆车吗？

他说，你很在意这辆车吗？

我说，不是在意，是它美丽。

他说，我能理解，美丽的东西，人们都想和它在一起。好吧，即使我不能来，我也会派我的司机，开着这辆车来。

我和范一先生的女儿交了朋友，她的胆子渐渐大起来，嘴一敢张开，成绩就突飞猛进。

校门口每天准时出现的红色跑车，让我大出风头。有时候下午有课，我就编谎话请假，总之从未误了范一那边。期末，那女孩的英语成绩提高了二十五分，范一递给了我两千五百块钱。

我就接过来了。心安理得。

后来，他开始给我买衣服，我不要，他说，我是不忍暴殄天物啊，我就收了……直到有一天，他很神秘地拿出一个纸袋，说是托人特地从国外带回来的时装，送给我。那套衣服漂亮得让人心酸，让人觉得自己以前穿过的都是垃圾。

你能今天在我家就把这套衣服穿起来，让我看看吗？你知道，我也很爱美丽的东西啊。范一说。

我本不想答应，但我怕范一不高兴。工钱和奖金，都是我必需的，还有这套华贵的衣服。

我把卫生间里面门上的小疙瘩按死，开始换衣服。正当我把旧衣服脱下，新衣服还没上身的时候，门无声无息地开了。

我想看看自己的眼光，对你三围的估计准不准。范一说。

我呼救反抗……偌大的房间里，只有我们两人，女孩到同学家去了。暴行之后，范一扔下一笔钱，说，我是很公平的。你们做家教，是按小时收钱，明码标价，我也是。你的每一厘米胸围，我付一笔钱。你的腰围比臀围每少一厘米，我付一笔钱。我可以告诉你，我从来没有给过任何小姐这么多的钱，你真是魔鬼身材啊。

我很想到公安局告他，可我怕舆论。每天招摇的红跑车，让我气馁。我也想把钱扔到他脸上，然后扬长而去。那是电影里常常出现的镜头，但是，我做不到。我缺钱。我已经付出了高昂的代价，我要为自己保存一点物质补偿。

我想，一个人是不是记得住那些惨痛的教训，不在于片刻的决绝，更在于深刻的反省吧。

我再也没有见过范一。有时候，在镜子面前欣赏自己优美的身材的时候，我会想起范一的话。我承认这是一种资源，但是，所有的资源，都需要保护。越是美好的资源，越要珍惜。女人，最该捍卫的，不就是我们的尊严吗？

在明月的照耀下，我看到她脸上的清泪。

出卖冥位的少女

来访者是一名中年女子，名叫鞠鸣凤，衣着得体，在她的登记表"心理咨询事由"一栏中，填写的是：人为什么要出卖冥位？结尾处的问号又长又大，像一根生了锈的铁锚直击海底。

我看着这问号愣了一会儿。别说她不知道这个问题的答案，我连冥位是什么东西都不清楚。好在，我并不着急。世界上的万物就是如此复杂，一个咨询师不可能什么都知道。这不是咨询师的耻辱，只是一个真实。不过，世界上的万物又都是有规律可循的，只要跟随着来访者的脚步，我们就有可能一同到达彼岸。

鞠鸣凤坐下后，第一句话是，您知道什么是冥位吗？

我老老实实地回答，不知道，很希望您告诉我。

鞠鸣凤说，冥位就是埋葬死人的地方，可以是一块地，也可以是一棵树、一个花坛，也可能是灵塔上的一个格子。

我明白了一点点，但更糊涂了。我说，难道一个人可以埋在这么多地方吗？

鞠鸣凤说，不是。也许是我没说清楚：每个人死后只占据一个冥位，冥位是商品。要知道冥位是可以买卖的，现在房地产涨价，阴间的地盘也紧张起来，所以，有些人成了殡葬业的推销员，就是出卖冥

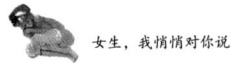

位的人。

原来是这样。大千世界，真是无奇不有啊。我说，谢谢您告诉了我这样的知识，原来出卖冥位是世上的新行当。

鞠鸣凤说，本来这行当新呀旧呀的跟我没关系，可没想到我的女儿鞠小凤卷了进去，每天像着了魔似的推销冥位……

我有点吃惊。鞠女士的年纪也就四十出头，她的女儿能有多大呢，不到二十岁吧？小小年纪就成了推销埋葬死人骨灰的地方的业务员，这太匪夷所思了吧？鞠鸣凤看出了我的疑惑，说，是啊，她还在上高中。我今天来找您，就是为了解决她的问题。现在，我马上出去，把她换进来，让她自己跟您说说到底是怎么一回事吧！说完，她起身走出门去。外面负责接待的工作人员不知发生了何事，以为她对我的咨询不满而要半路上扬长而去。

我轻轻摆摆手，示意工作人员不要阻拦。

这真是我工作经验中的一件新鲜事，咨询过程居然像篮球比赛，玩起了半路换人。我且要看看这个正上高中却成了冥位推销员的小姑娘，是个怎样奇特的人。或许穿着哈韩哈日的肥裤腿吧？或者衣衫褴褛，头发被发胶粘成图钉状？或者一身迷彩，戴着贝雷帽、手握仿真枪……

我所有的想象都在现实的面前碰得粉碎。鞠小凤身材高挑，健康活泼，身穿一套天蓝色夹有雪白条纹的校服，一步三跳地走了进来。她毫不认生地一屁股坐在她妈妈刚才坐的位置，说，嘿！听我妈妈一讲，您一定以为我是个怪物吧。其实，我非常正常。本来不打算到您这儿来的，后来一想，我也没见过心理咨询师是什么样的，开拓一下自己的见识也很重要。再说，没准我还能向您推销一两个冥位呢！

我目瞪口呆，没想到我居然成了她的推销对象。

我调整了一下思绪，说，小凤，谢谢你，我还真没想到要为自己置办一处冥位的问题。

鞠小凤丝毫不受打击，依旧兴致勃勃地说，没想到不要紧，现在开始想想也来得及。您知道，伟大领袖毛主席说过，人必有一死。死了以后，您住在哪里呢？总要有一个地方吧？要么变成一棵树，要么变成一朵花，要么就安安静静地睡在泥土里……您现在就可以选择。对了，老师，我现在就向您介绍一个好地方，山清水秀的，空气可好了，最主要的是邻居好……

邻居好？我不由得失声追问。

对啊！鞠小凤兴头正高，眉飞色舞地说，您以为灵魂就不需要邻居了吗？一样需要，甚至更重要。因为灵魂像风一样，经常到外面去飞翔，自己的家就要托邻居照料。这处冥位，旁边都是知识分子，有大学教授啊，有律师和医生啊，最有意思的是，还有一位是大使，这样您还可以听到很多外国的故事……

鞠小凤说得津津有味，我跟着她的语调，真的想到了一片开阔的青草地，鸟语花香，然后仿佛看到一群西装革履的人正谈笑风生。

天啊，这个小姑娘真是不简单，连我这把年纪的人都被她蛊惑了。

怎么样？买一个冥位吧！鞠小凤问我。

我赶紧回到自己的工作状态，对她说，你干这行多长时间了？

鞠小凤说，没多久，我是偶然知道这个消息的。其实并不复杂，都是正规陵园，手续齐全。我们推销出一套冥位，就能有一定的提成，我也不会耽误学习。

我说，你做这个工作，是为了挣钱吗？

鞠小凤说，挣钱肯定是一个原因，像我们这个年纪的女孩子，都是向家里要钱的。我第一次拿到提成时，非常高兴，因为这证明了我的能力，但是，钱并不是最重要的。

我点点头表示理解，追问，那么，什么是最重要的呢？

鞠小凤好像很不愿意触及这个问题，说，一定是我妈妈跟您说了我的很多坏话，好像我一个女孩子干这事，是大逆不道。她非常害怕死亡，还说，等我以后长大了，要是让人知道曾经干过这个行当，肯定会嫁不出去的。可是，我不怕，我不害怕死亡。

鞠小凤说这些话的时候，神色迷离，目光弥散，一下子失魂落魄。

按说一个女孩子不害怕死亡，是难得的勇敢，可我总觉得有什么地方不对头。不过，从这个方向探寻她的内在世界，难以进入。我略一沉思，发现了一个问题——她妈妈叫鞠鸣凤，她叫鞠小凤。按说"鞠"这个姓氏并不常见，难道说一家三口人都姓鞠不成吗？如果不是这样，鞠小凤就是从母姓，那么鞠小凤的父亲到哪里去了呢？

我决定从这个方向入手。我说，小凤，我看你对死亡的认识很豁达，如果你不介意的话，能同我谈谈你的父亲吗？

鞠小凤说，我妈妈没跟您说吗？

我说，没有，她只是说到了你。

鞠小凤平静地说，我的亲生父亲在我很小的时候，就在一次飞机失事中去世了。当时飞机一头扎到海里，所有的人尸骨无存。后来，我妈妈就带着我改嫁了，继父对我很好。嗯，很简单，就是这样，我妈妈又把我的姓改成了她的姓。从此，我的亲生父亲在这个世界上就没有任何痕迹了。

我发觉鞠小凤把"尸骨无存"、"任何痕迹"几个字咬得很重。如果把她这段话比作一块木板，那么这几个词，就像木板上凸起的木疤，显而易见，触目惊心。

我基本上找到了症结。我说，你非常思念你的父亲？

鞠小凤的眼眶一下子红了，说，无论我的继父对我多好，可是，我的骨头、我的牙齿、我的头发，不是他给我的，是那个在这个世界上消失得无影无踪的人给我的，我非常想念他。可是，我不敢让我妈妈发现，那样她就会觉得委屈了我。其实，那不是她的过错，我只是用我的方式纪念我父亲。

我紧紧跟上一句，什么叫作你的方式？

鞠小凤说，那就是思索和死亡有关的一切。比如，我认为死后是有灵魂的，我认为人是应该留下一点痕迹的。不然的话，我们的哀伤就找不到地方寄托。

我知道，我们已经渐渐逼近了问题的核心。

我说，你觉得哪些可以称为痕迹呢？

鞠小凤说，比如一块土地，比如一朵花，比如一棵树，不能什么都没有。那样，活着的人会受不了的。

我说，所以，你父亲的逝去让你受不了，所以，你就选择了出售冥位，你希望和你有一样遭遇的人可以找到寄托自己哀思的地方，其实，你最希望的是知道父亲居住的地方。

鞠小凤没有任何先兆地放声痛哭，少女的声音清脆而具有穿透力。

鞠小凤的妈妈不顾一切地推开门，想冲进来。我赶忙走出去，好

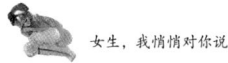

在鞠小凤沉浸在自己的巨大伤感中,并没有发觉这一切。

鞠妈妈焦虑万分地说,这孩子怎么啦?我拉着她来看心理医生,没想到她号啕痛哭。看样子,旧病未去,新病又来,这孩子是越来越不靠谱了。

我说,您放心,她在为自己的父亲感到哀伤。

鞠妈妈半信半疑说,她那时候非常小,几乎不记事啊。

我说,鞠小凤是个非常聪明敏感的孩子,对父亲的怀念,让她比一般孩子更早熟。这种没有经过处理的哀伤,一直潜伏在她的心灵深处,所以才有了去出卖冥位这样的怪异选择。现在,就让她尽情地哭一场吧。

我们就这样一直安静地等待着,直到鞠小凤渐渐停止了哭泣。我走进去,说,你可以给你的父亲写一封信,把你所有想和他说的话都写在里面。

鞠小凤说,写好了之后呢?

我说,你可以把它放在河流中,也可以系在一棵树上,也可以用火焰烧掉。在古老的习俗中,火焰是通往另一个世界的阶梯。

鞠小凤擦着眼泪说,我明白了,冥位其实就在我们思念亲人的任何地方。

走出黑暗巷道

那个女孩子坐在我的对面，薄而脆弱的样子，好像一只被踩扁的冷饮蜡杯。我竭力不被她察觉地盯着她的手——那么小的手掌和短的手指，指甲剪得短短的，仿佛根本不愿保护指尖，恨不能缩回骨头里。就是这双手，协助另一双男人的手，把一个和她一般大的女孩子的喉管掐断了。那个男子被处以极刑，她也要在牢狱中度过一生。

她小的时候，家住在一个小镇上，是个很活泼好胜的孩子。一天傍晚，妈妈叫她去买酱油。在回家的路上，她被一个流浪汉强暴了。妈妈领着她报了警，那个流浪汉被抓获。他们一家希望这件事从此被人遗忘，像从没发生过那样最好，但小镇的人对这种事有着经久不衰的记忆和口口相传的热情。

女孩在人们炯炯的目光中渐渐长大，个子不是越来越高，好像是越来越矮。她觉得自己很不洁净，走到哪里都散发出一种异样的味道，因为那个男人在侮辱她的过程中说过一句话："我的东西种到你身上了，从此无论你到哪儿，我都能把你找到。"

她原以为时间的冲刷可以让这种味道渐渐稀薄，没想到随着年龄增长，她觉得那味道越来越浓烈了。怪异的嗅觉，像尸体上的乌鸦一样盘旋着，无时不在。她断定，世界上的人，都有比猎狗还敏锐的鼻

子,都能侦察出这股味道。于是她每天都哭,要求全家搬走。父母怜惜越来越皱缩的孩子,终于下了大决心,离开了祖辈的故居,远走他乡。

迁徙使家道中落,但随着家中的贫困,女孩子缓缓地恢复过来。在一个没有人知道她过去的地方,生命力振作了,鼻子也不那么灵敏了。在外人眼里,她不再有显著的异常,除了特别爱洗脸和洗澡。无论天气多么冷,女孩从不间断地擦洗自己。由于品学兼优,中学毕业以后她考上了一所中专。在那所人生地不熟的学校里,她人缘不错,只是依旧爱洗澡。哪怕是只剩吃晚饭的钱了,她宁肯饿着肚子,也要买一块味道浓郁的香皂,为全身打出无数泡沫。她觉得比较安全了,有时会轻轻地快速地微笑一下。童年的阴影难以扼制青春的活力,她基本上变成一个和旁人一样的姑娘了。

这时候,一个小伙子走来,对她说了一句话:我喜欢你,喜欢你身上的味道。她在吓得半死中还是清醒地意识到,爱情并没有嫌弃她,猛地进入她的生活了。她没有做好准备,她不知道自己能不能爱,该不该同他讲自己的过去。她只知道这是一个蛮不错的小伙子,自己不能把射来的箭像印第安人的飞去来器似的收回去。她执着而痛苦地开始爱了,最显著的变化是更频繁地洗澡。

一切顺利而艰难地向前发展着,没想到新的一届学生招进来。一天,女孩在操场上走的时候,像被雷电劈中,肝胆俱碎。她听到了熟悉的乡音,从她原先的小镇来了一个新生,无论她装得怎样健忘,那个女孩子还是很快地认出了她。

她很害怕,预感到一种惨痛的遭遇,像刮过战场的风一样,把血腥气带来了。

果然，没过多久，关于她幼年时代的故事，就在学校流传开来。她的男朋友找到她，问，那可是真的？

她很绝望，绝望使她变得无所顾忌。她红着眼睛狠狠地说，是真的！怎么样？

那个小伙子也真是不含糊，说，就算是真的，我也爱你！

那一瞬，她觉得天地变容，人间有如此的爱人，她还有什么可怕的呢！还有什么不可献出的呢！

于是他们同仇敌忾，决定教训一下那个饶舌的女孩。他们在河边找到她，对她说，你为什么说我们的坏话？

那个女孩有些心虚，但表面上更嚣张和振振有词，说，我并没有说你们的坏话，我只说了有关她的一个真事。

她甚至很放肆地盯着爱洗澡的女孩说，你难道能说那不是一个事实吗？

爱洗澡的女孩突然就闻到了当年那个流浪汉的味道，她觉得那个流浪汉一定附着在这个女孩身上，千方百计地找到她，要把她千辛万苦得到的幸福夺走。积攒多年的怒火狂烧起来，她扑上去，撕那饶舌女生的嘴巴，一边对男友大吼说，咱们把她打死吧！

那男孩子巨螯般的双手，就掐住了新生的脖子。

没想到人怎么那么不经掐，好像一朵小喇叭花，没怎么使劲，脖子就断了，再也接不上了。女孩子直着目光对我说，声音很平静。我猜她一定千百次地在脑海中重放过当时的影像，不明白生命为何如此脆弱，为自己也为他人深深困惑。

热恋中的这对凶手惊慌失措，他们看了看刚才还穷凶极恶现在已了无声息的传闲话者，不知道下一步该怎样动作。

女生，我悄悄对你说

咱们跑吧，跑到天涯海角，跑到跑不动的时候，就一道去死。他们几乎是同时这样说。

他们就让尸体躺在发生争执的小河边，甚至没有丝毫掩盖，他们总觉得她也许会醒过来。匆忙带上一点积蓄，蹿上了火车。不敢走大路，就漫无目的地奔向荒野小道，对外就说两个人是旅游结婚。钱很快就花光了，他们来到云南一个叫情人崖的深山里，打算手牵着手从悬崖跳下去。

于是他们拿出最后的一点钱，请老乡做一顿好饭吃，然后就实施自戕。老乡说，我听你们说话的声音，和《新闻联播》里的是一个腔调，你们是北京人吧？

反正要死了，再也不必畏罪潜逃，他们大大方方地承认了。

我一辈子就想看看北京，现在这么大岁数，原想北京是看不到了，现在看到两个北京人，也是福气啊。老人说着，倾其所有，给他们做了一顿丰盛的好饭，说什么也分文不取。

他们低着头吃饭，吃得很多。这是人间最后的一顿饭了，为什么不吃得饱一点呢？吃饱之后，他们很感激，也很惭愧，讨论了一下，决定不能死在这里。因为尽管山高林密，过一段日子，尸体还是会被发现。老人听说了，会认出他们，就会痛心失望的。他一生唯一看到的两个北京人，还是被通缉的坏人。对不起北京也就罢了，他们怕对不起这位老人。

他们从情人崖走了，这一次，更加漫无边际。最后，不知是谁说的，反正是一死，与其我们死在别处，不如就死在家里吧。

他们刚回到家，就被逮捕了。

她对着我说完了这一切，然后问我，你能闻到我身上的怪味吗？

我说，我只闻到你身上有一种很好闻的栀子花味。

她惨淡地笑了，说，这是一种很特别的香皂，但是味道不持久。我说的不是这种味道，是另外的……就是……你明白我说的是什么……闻得到吗？

我很肯定地回答她，除了栀子花的味道，我没有闻到其他任何味道。

她似信非信地看着我，沉默不语。过了许久，才缓缓地说，今生今世，我再也见不到他了。就是有来生，天上人间苦海茫茫的，哪里就碰得上！牛郎织女虽说也是夫妻分居，可他们一年一次总能在鹊桥上见一面。那是一座多么美丽和轻盈的桥啊。我和他，即使相见，也只有在奈何桥上。那座桥，桥墩是白骨，桥下流的不是水，是血……

我看着她，心中充满哀伤。一个女孩子，幼年的时候，就遭受重大的生理和心理创伤，又在社会的冷落中屈辱地生活。她的心理畸形发展，暴徒的一句妄谈，居然像咒语一般控制着她的思想和行为。她慢慢长大，好不容易恢复了一点做人的尊严，找到了一个爱自己的男孩，又因为这种黑暗的笼罩，不但把自己拖入深渊，而且让自己所爱的人走进地狱。

旁观者清，我们都看到了症结的所在。但作为当事人，她在黑暗中苦苦地摸索，碰得头破血流，却无力逃出那桎梏的死结。

身上的伤口，可能会自然地长好，但心灵的创伤，自己修复的可能性很小，我们能够依赖的只有中性的时间。但有些创伤虽被时间轻轻掩埋，表面上暂时看不到了，但在深处依然存有深深的窦道。一旦风云突变，那伤痕就剧烈地发作，敲骨吸髓地令我们痛楚起来。

我们每个人，都有一部精神的记录，藏在心灵的多宝槅内。关于那些最隐秘的刀痕，除了我们自己，没有人知道它在陈旧的纸页上滴下多少血泪。不要乞求它会自然而然地消失，那只是一厢情愿的神话。

重新揭开记忆疗治，是一件需要勇气和毅力的事情，所以很多人

宁可自欺欺人地糊涂着，也不愿清醒地焚毁自己的心理垃圾。但那些鬼祟也许会在某一个意想不到的瞬间幻化成形，牵引我们步入歧途。

我们要关怀自己的心理健康，保护它，医治它，强壮它，而不是压迫它，掩盖它，蒙蔽它。只有正视伤痛，我们的心，才会清醒有力地搏动。

第二辑
我所喜爱的女性

生命从我们出生那天开始,就像箭一样地射向远方,我们能够在自己手里把持住的,只是我们此时此刻这无比宝贵的生命。

无形容颜

除了蒙面匪,我们向人时都有一副容颜,或姣或陋,此乃上天与父母合谋的奉送。它像一件不是自主选定的商品,无处退换,不论满意与否,都得义无反顾地佩戴下去,还需忍受它的褪色与破旧,直至与身俱灭。虽说整形与美容术,可使某些乏善可陈的面貌,得到部分修理订正,但从根本上讲,我们的脸,都是造化随机奉送的礼物,绝非不喜欢就可轻易扒下,再换一张新品的卡通画片。

然而事情又有些怪异,按说千人千面,绝不雷同,但每逢分手之后,我追忆熟悉的朋友或新结识的诸色人等,他们的脸往往如淋了雨的泥娃娃,五官模糊成团。心屏上浮起的只是一汪暗影,好像柏油路上水渍洇开的油迹,朦胧浮动,难以界定。淡去的眉眼缩略简化成某种符号——亲切或是寒冷的感觉,温馨或是漠然的情致,和谐或是嘈杂的音调。或许干脆涌出一片颜色:柔润的夕阳红,华贵的荸荠紫,神秘的宇航灰或污浊的狗尾巴黄。更多的时候,一提到某个名字,与之相关的那张具体的脸,仿佛突然被巨型消字灵涂掉,代之一股情绪的云雾,或愉悦或厌倦,弥漫心头。

早先以为自己有残,脑里专管录像的那一部分遭了虫蛀,成了破包袱皮,再也包裹不住有关相貌的记忆。后来年事渐长,与人交流,才知天下有这等恍惚毛病的人颇不少。方明白人的脸,乃是一个变数。

眼光直接注视的时候,对方的眉目自然是清晰的。可惜心灵的感光,基本上是一次成像不保存底片。加上懒散,有形的面容一旦撤离视野,记忆就清理屏幕,大而化之地分门别类,一一归档。

人的有形容貌,无法恒久烙下记忆,卷宗收留的只是提炼过的印象。世上资产,分为有形和无形。无形资产的定义,我以为是指超出物质的实际价值,由于你卓越的努力,在人们心目中形成的信任——简言之,它是你的名字进入他人耳鼓时,呼唤起的一种美好感情。

摒除其中的商业因素,对于人的容颜来说,或可借用这个概念。

脸后有脸。

上天赋予我们的——端正或歪斜的眉眼,粗糙或光滑的皮肤,颀长或愚笨的身材,完整或残缺的四肢……均是我们有形的容颜。每个人后天创造发展的性格品行能力,属于你的无形容颜。

无形脸有正负之分。一个人只有美丽的外表,却没有相应的内在质量,初次结识时秀丽外形所留下的愉悦印象,犹如沙上之塔,很快便会被残酷的现实潮水,冲刷得千疮百孔。无形容颜的毁灭,像一场精神天花,人际关系一旦被传染,犹如多米诺骨牌颓然倒塌。从此提起你的时候,人们会遗憾甚或恼怒地说,那个人啊,金玉其外,败絮其中。

无形脸不会衰老。只要我们浇灌慧根,磨砺意志,拓展胸臆,它便会从幼年开始,如同花树一般渐渐生长。直至轮廓分明,明眸皓齿,青丝不老,慈眉善目……岁月流逝,沧海桑田,但在欢喜你亲近你的眼光中,你所留下的形象始终如一,引起的感觉永恒温暖。比如

远行的双亲，纵是白发苍苍，在儿女们心中，依旧盛年音容，风采卓然。

我们习惯以思为笔，在心灵之纸上勾勒众人容貌。它和古时衙门的"画影图形"不同，与真实的形象已无关联，只对真实的情感负责。无形容貌是想象和判断的产物，摈弃工笔，重在写意。它缥缈着，却比分毫不差的实照，具有更持久更猛烈的魅力。

无形脸可以美丽也可以丑陋，能怒火中烧也能垂头丧气，会神采奕奕也会惨淡无光。无形容颜的营造，也像一门古老的手艺，师傅领进门，修行在个人。如果你背信弃义，无形脸的画布上，就留下贼眉鼠眼的一笔。如果你阿谀奉承，画布上就面色萎黄。如果你恃强凌弱，画布上就口眼歪斜。如果你居心叵测，画布上就血盆大口。如果你聪慧机警，画布上就眉清目秀、伶牙俐齿。如果你襟怀坦荡，画布上就有浩然正气流注天庭。

我们对有形的容颜可以心平气和，随遇而安，对无形的容颜却要惨淡经营，精益求精。有形的容颜可以有疵而不坠青云之志，无形的容颜不能肮脏受伤而无动于衷。

有形的脸可存不完美，无形的脸必得常修炼。

珍惜每个人的无形脸，它是品德签发的通行证。凭着优雅忠诚的无形容颜，我们可以在萍水相逢的一瞬，遭遇千金难买的信任，转危为安。我们可以在旋转的大千世界，找到志同道合的朋友，共赴天涯。

素面朝天

素面朝天。

我在白纸上郑重写下这个题目。夫走过来说,你是要将一碗白皮面,对着天空吗?

我说有一位虢国夫人,就是杨贵妃的姐姐,她自恃美丽,见了唐明皇也不化妆,所以叫……

夫笑了,说,我知道,可是你并不美丽。

是的,我不美丽。但素面朝天并不是美丽女人的专利,而是所有女人都可以选择的一种生存方式。

看看我们周围。每一棵树、每一叶草、每一朵花,都不化妆。面对骄阳、面对暴雨、面对风雪,它们都本色而自然。它们会衰老和凋零,但衰老和凋零也是一种真实。作为万物灵长的人类,为何要将自己隐藏在脂粉和油彩的后面?

见一位化过妆的女友洗面,红的水黑的水蜿蜒而下,仿佛洪水冲刷过水土流失的山峦。那个真实的她,像在蛋壳里窒息得过久的鸡雏,渐渐苏醒过来。我觉得这个眉目清晰的女人,才是我真正的朋友。片刻前被颜色包裹的那个形象,是一个虚伪的陌生人。

脸,是我们与生俱来的证件。我的父母,凭着它辨认出一脉血缘的延续;我的丈夫,凭着它在茫茫人海中将我找寻;我的儿子,凭着它第一次铭记住了自己的母亲……每张脸,都是一本生命的图谱。连脸都不愿公开的人,便像捏着一份涂改过的证件,有了太多的秘密。

所有的秘密都是有重量的。背着化过妆的脸走路的女人,便多了劳累,多了忧虑。

化妆可以使人年轻,无数广告喋喋不休地告诫我们。

我认识的一位女郎,盛妆出行,艳丽得如同一组霓虹灯。一次半夜里,我为她传一个电话,门开的一瞬间,我惊愕不止。惨亮的灯光下,她枯黄憔悴如同一册古老的线装书。

"我不能不化妆。"她后来告诉我,"化妆如同吸烟,是有瘾的,我已经没有勇气面对不化妆的我。化妆最先是为了欺人,之后就成了自欺,我真羡慕你啊!"从此我对她充满同情。

我们都会衰老。我镇定地注视着我的年纪,犹如眺望远方一幅渐渐逼近的白帆。为什么要掩饰这个现实呢?掩饰不单是徒劳,首先是一种软弱。自信并不与年龄成反比,就像自信并不与美丽成正比。勇气不是储存在脸庞里,而是掌握在自己手中。化妆品不过是一些高分子的化合物、一些水果的汁液和一些动物的油脂,它们同人类的自信与果敢实在是不相干的东西。犹如大厦需要钢筋铁骨来支撑,而绝非几根华而不实的竹竿。

常常觉得化了妆的女人犯了买椟还珠的错误。请看我的眼睛!浓墨勾勒的眼线在说。但栅栏似的假睫毛圈住的眼波,却黯淡犹疑。请注意我的口唇!樱桃红的唇膏在呼吁。但轮廓鲜明的唇内吐出的话语,却肤浅苍白……化妆以醒目的色彩强调以致强迫人们注意的部位,却往往是最软弱的所在。

  磨砺内心比粉饰外表要难得多,犹如水晶与玻璃的区别。

  不拥有美丽的女人,并非也不拥有自信。美丽是一种天赋,自信却像树苗一样,可以播种可以培植可以蔚然成林,可以直到地老天荒。

  我相信不化妆的微笑,更纯洁而美好。我相信不化妆的目光,更坦率而真诚。我相信不化妆的女人,更有勇气直面人生。

  假若不是为了工作,假若不是出于礼仪,我这一生,将永不化妆。

教养的证据

教养是个高频词。时下,如果说某人没教养,就是大批评大贬义了。如果说一个女人没教养,简直就如同说她是三陪小姐了。

什么叫教养呢?

词典上说是"文化和品德的修养",但我更愿理解为"因教育而养成的优良品质和习惯"。

一个人受过教育,但他依然有可能是没有教养的。就像一个人不停地吃东西,但他的肠胃不吸收,竹篮打水一场空,还是骨瘦如柴。不过这话似乎不能反过来说——一个人没有受过系统的教育,他却能够很有教养。

教养不是天生的。一个小孩子如果没有人教给他良好的习惯和有关的知识,他必定是愚昧和粗浅的。当然,这个"教"是广义的,除了指入学经师,也包括家长的言传身教和对环境的耳濡目染。

教养和财富一样,是需要证据的。你说你有钱不成,得拿出一个资产证明。教养的证据不是你读过多少书,家庭背景如何显赫,也不是你通晓多少礼节规范,能够熟练使用刀叉会穿晚礼服……这些仅仅是一些表面的气泡,最关键的证据可能有如下若干。

热爱大自然。把它列为有教养的证据之首,是因为一个不懂得敬畏大自然，不知道人类渺小的人，必是井底之蛙，与教养谬之千里。这也许怪不得他，因为如果不经教育，一个人是很难自发地懂得宇宙之大和人类的微薄的。没有相应的自然科学知识，人除了显得蒙昧和狭隘以外，注定也是盲目傲慢的。之所以从小就教育孩子要爱护花草，正是对这种伟大感悟的最基本的训练。若是看到一个成人野蛮地攀折林木，通常人们就会毫不迟疑地评判道——这个人太没有教养了。可见，教养和绿色是紧密地联系在一起的。懂得与自然协调相处，懂得爱护无言的植物的人，推而广之，他多半也可能会爱惜更多的动物，爱护自己的同类。

一个有教养的人，应该能够自如地运用公共的语言，表达自己的内心和同他人交流，并能妥帖地付诸文字。我所说的公共语言，是指大家——从普通民众到知识分子都能理解的清洁和明亮的语言，而不是某种受众面狭窄的土语俚语或者某特定情境下的专业语言。这个要求并非画蛇添足。在这个千帆竞发的时代，太多的人，只会说他那个行业的内部语言，只会说机器仪器能听懂的语言，却不懂得和人亲密地交流。这不是一个批评，而是一个事实。和人交流的掌握，特别是和陌生人的沟通，通常不是自发产生的，是要通过学习和练习来获得的。一个没有受过教育的人，他所掌握的词汇是有限和贫乏的，除了描绘自己的生理感受，比如饿了、渴了、睡觉，以及生殖的欲望之外，他们对于自己的内心感知甚为模糊。因为那些描述内心感受的词汇，通常是抽象和长于比兴的，不通过学习，难以明确恰当地将它表达出来。那些虽然拥有一技之长，但无法精彩地运用公共语言这种神圣的媒介来沟通和解读自我心灵的人，难以算是一个有教养的人。技术是用来谋生的，而仅仅具有谋生的本领是不够的。就像豺狼也会自发地猎取食物一样，那是近乎无须教育也可掌握的本能。而人，毫无疑问地应比豺狼更高一筹。

一个有教养的人，对历史应有恰如其分的了解，知道生而为人，我们走过了怎样曲折的道路。当然，教养并不能使每个人都像历史学家那样博古通今，但是教养却能使一个有思考爱好的人，知晓我们是从哪里来，要到哪里去。教养通过历史，使我们不单活在此时此刻，也活在从前和以后，如同生活在一条奔腾的大河里，知道泉眼和海洋的方向。

一个有教养的人，除了眼前的事物和得失以外，他还会不由自主地想到他远大的目标。教养把人的注意力拓展了，变得宏大和光明。每一个个体都有沉没在黑暗峡谷的时刻，跋涉和攀缘其中，虽然伤痕累累，因为你具有的教养，确知时间是流动的，明了暂时与永久，相信在遥远的地方，定有峡谷的出口，那里有瀑布在轰鸣。

一个有教养的人，特别是女人，对自己的身体，要有亲切的了解和珍惜之情。知道它们各自独有的清晰的名称，明了它们是精致和洁净的，身体的每一部分都有着不可替代的功能，并无高低贵贱的区别。他知道自己的快乐和满足，有很大一部分是建筑在这些功能的灵敏和感知的健全上的。他也毫无疑义地知道，他的大脑是他的身体的主宰。他不会任由他的器官牵制他的所作所为，他是清醒和有驾驭力的。他在尊重自己身体的同时，也尊重他人的身体；在尊重自我的权利的同时，也尊重他人的权利；在驰骋自我意志的骏马时，也精心维护着他人的茵茵草地。

一个有教养的人，对人类种种优秀的品质，比如忠诚、勇敢、信任、勤勉、互助、舍己救人、临危不惧、吃苦耐劳、坚贞不屈……应

充满敬重、敬畏、敬仰之心。不一定每一个人都能够身体力行,但他们懂得爱戴和歌颂。人不是不可以怯懦和懒惰,但他不能把这些陋习伪装成高风亮节,不能由于自己做不到高尚,就诋毁所有做到了这些的人是伪善。你可以跪在泥里,但你不可以把污泥抹上整个世界的胸膛,并因此煞有介事地说到处都是污垢。

一个有教养的人,知道害怕。知道害怕是件有意义、有价值的事情。它表示明了自己的限制,知道世上有一些不可逾越的界限。知道世界上有阳光,阳光下有正义的惩罚。由于害怕正义的惩罚,因而约束自我,是意志力坚强的一种体现。

一个有教养的人,知道仰视高山和宇宙,知道仰视那些伟大的发现和人格,知道对于自己无法企及的高度表达尊重,而不是糊涂地闭上眼睛或是居心叵测地嘲讽。

教养是不可一蹴而就的。教养是细水长流的。教养是可以遗失也可以捡拾起来的。教养也具有某种坚定的流传和既定的轨道性。教养是一些习惯的总和,在某种程度上,教养不是活在我们的皮肤上,是繁衍在我们的骨髓里。教养和遗传几乎是不相关的,是后天和社会的产物。教养必须要有酵母,在潜移默化和条件反射的共同烘烤下,假以足够的时日,才能自然而然地散发出香气。

教养是衡量一个民族整体素质的一张 X 光片。脸面上可以依靠化妆繁花似锦,但只有内在的健硕,才经得起冲刷和考验,才是力量的象征。

做女人的智慧

不论男性还是女性，每个人都有一个自己发现自己、认识自己的过程，它伴随着一个人成长的全过程，也随着每个人的成长而深化。我来北师大读心理学，就是想更好地了解人、了解自己。我觉得，人如果能把自己搞明白，是件很有意思很好玩的事。作为女性，更要了解自己，发现自己。通常，人说"人贵有自知之明"，都是说要明白自己的不足之处。而我认为，女性不光要了解自己的缺点，更要了解自己的优点、自己的特点，这才真的"珍贵"。

我做过医生，对女性的生理比较了解。男女生理上最大的不同是生殖系统的不同，但这种不同并不从根本上决定性别的优劣、强弱。我觉得男女的差异主要体现在社会性别上。我在西藏当兵的时候，我们司令员曾特别惋惜地对我说："你要是个男的就好了。"我问为什么，他说："你挺能干的，我想提你当参谋，以后还可以当参谋长，可惜你是个女的，这就没有一点办法了。"这是我长大成人后，第一次鲜明地意识到男女性别上的不平等。

现实中，女性在权利、义务、文化、尊严等方面与男性是有很大差距的，女性在社会上的声音总是很微弱，这是和人类社会的发展过程息息相关的。古时候，人们要打仗，丈二的长矛，女的就是拎不动。而现在,坐在电脑前,男女都一样,而且女的输入得可能还更快。人类的科技进步,为推动男女平等提供了基础,男女因为生理原因导致的不平等,是可以渐渐被淡化的。

我发现我们女性和男性的差异,主要是由于文化上的原因造成的。比如,严父慈母大家都觉得很正常,但如果一个家里是严母慈父,大家会觉得有点例外。其实,慈、慈悲,是男女共有的品性,不是女人的专利。最近我看一位作家写的文章,说更年期本是人一个正常的生理过程,但人们说起时会认为它包含一种贬义。这里头就有非常多的文化因素。在大学听我做报告的女学生特别多,从她们的眼神中,我知道她们在思考,可到自由提问的时候,通常第一个站起来的总是男生。从我们的文化上讲,一个女孩子总要先看看别人讲什么,这么站起来会不会冒失啊,又担心自己的问题会不会太幼稚啦,实际上是一种文化在压迫着她。从某种程度上说,这是女性的"自动放弃"。人是生而平等的啊。平等不是等出来的,是自己做出来的。这种"文化上的压迫"存于心间,即使平等已经到来了,女性自己心里还是觉得不平等,那么,这种平等就不能真正地到来。

女性要学会思考,真正成熟起来。女性心理成熟和自身的阅历在一定程度上相关,而这种阅历只是一种成熟的土壤,成熟则需要智慧。比如一个女人经历了失败的婚姻,上一次她找了一个比自己强的失败了,这次就去找一个差的,最后她可能结了四次婚,还是失败了。阅历没有上升成为智慧,没有思考,失败可能还会重复,而并不能使她真正地成熟。我常常看到鸟儿一根一根地叼来树枝,千辛万苦也要给自己搭一个窝,我想,它们也是需要一个家,需要一种安全感。人也一样,只是女性在体力上没法跟男性比,所以,才对安全

感要求更高。她们更需要男性的责任感，更需要关怀和呵护，这种需要是正当的。外在的柔软并不意味着女性就是弱者。在面对困境和生命挑战时，男女采取的方式可能不同，但克服困难的本质是一样的。女性凭借自己内在的力量，能够赋予自身生命的意义、人格的尊严。她们在挑战自我的程度上，在承担社会责任的能力上，和男性是相同的。

女性对自身的了解和认识，包括她对自身生命意义的认识。女性到底是为谁活着？很多女人视孩子和丈夫超过自己的生命，以他们为自己生存的意义而忽略了自己。丈夫、孩子无疑是值得女人为之付出的，但并不是女人的全部。我们说，世界上没有相同的两片树叶，生命属于女人自己，女人应该是她自己，应该为自己活着。不少女人在失去丈夫时觉得自己没法活下去了，在孩子不在身边后突然觉得生活空空荡荡没了着落。漫长的岁月里，她们总是在等，等孩子的长大，等丈夫的闲暇，当这些都等到时，才发现自己已经衰老，已经远离了自己原本想干的事。每个人都应该对自己负责，女性如果把自己生存的意义完全寄寓于对方，寄寓于别人对自己负责，这对男人也是不公平的。

女人因为柔软，所以更需要智慧。情感充沛是女人天性的特点，但不应该是女人的弱点。情感是好东西，女人怎么能没有情感呢？只是女人在付出情感时需要判断对方的真假，付出情感后还要保持与男人发展的同步。当然，这种同步不一定是事业上的，而是精神上的同步，精神上的成熟。女人在工作、家庭中的角色本身也是在发展变化中的。一劳永逸是不行的，坐等十年，智慧也等不来。智慧不是来自于外界，而是女人自身的修炼、内在的积累。智慧的女人给人的感觉会是宁静的、平和的。

如果我有一个女儿，我不预期她将来干什么，我会让她自己去经历成长，我希望她去读更多的书，希望她在智慧上更胜一筹。我相信，读书会开启女性自身的智慧。

从女性的特点来说，女性敏感细腻，更容易感受幸福。幸福对每个人的定义是不确定的。我在感到自己有力量的时候，有一种幸福的感觉。这种"有力量"不是指别的，而是我能感知美好的东西，我有能力决定自己的生活。

由从医到写作，是因为写作让我觉得愉快，让我了解人，了解自己，发现自己。我没有理由去做让自己不愉快的事。生命有不可预见性，生活多么新奇，能让我不断地要向前走，不断地进步，我感到很高兴。我想，所有的女性都一样，如果能真正地了解自己，能有智慧，做自己能做好的事，那么，幸福就在不远处。

内在的洁净

现在的女子,对于服装的要求越来越多了。每年都有流行色,如果你还穿着去年的流行色,那就是落伍,就是老土,就是搁浅在时代潮流沙滩上的孤独苦蚌。

有一次,我得到一个邀请,担当某服装委员会的顾问。我说,你有没有搞错啊,我是个连流行色都一问三不知的人,哪里能担当服装顾问?只有谢绝这一份信任了。他们说,就是愿意吸收各行各业的人都来关注服装,所以是外行并不要紧。我还是坚辞不受。本以为这件事就这样结束了,不想几天以后,他们又曲线救国,约了一位我所熟识的朋友来做说客。那朋友说,一个作家,就应该与五行八作的人都说得上话。你对服装没有研究,正好借这个机会长长见识,何乐而不为?再说啦,人家还发你一套衣服,蛮合算的啦!

倒不是看在那套衣服的份儿上,实在是朋友这番话的前半部分说服了我,我出席了那天的会议。会上,坐在邻座的是一位对服装颇有研究的先生,我和他聊起来,问,你们每年的权威发布,都依照什么原则呢?

那位先生一笑,说,毕作家,你太认真了。流行色并没有你想象的那样复杂,不过就是一个概念。你想啊,服装这个东西,是要提前

做准备的。不能天气已经很热了，才做薄薄夏衣。也不能寒风刺骨了，才张罗棉袄。特别是面料，更要有提前量。那么，大家根据什么来制订计划呢？简单地说，就要开一个会，大家坐在一起，讨论一番，定一个主色调，然后还有一些辅助的色系，最后就按这个原则去生产了。到了那个季节，街上就都是这种色系的衣服，流行色就开始流行了。

我听得似懂非懂，说，那么如果这个色彩今年流行不起来怎么办呢？那位先生可能觉得我冥顽不化，蔼然教导说，这怎么可能呢？大家都要穿新衣服，新衣服是从哪里出来的？还不是厂家做出来的吗？只要所有的厂家都齐心合力，都出产这个颜色的衣服，当然就会流行起来啊！再有了，我们既然制定了这个策略，就会大张旗鼓地宣传，比如说环保啦，沙漠啦，海洋啦，太空啦……找概念啊，开动一切机

器来"轰炸"。另外还有一个法宝,就是让偶像代言。年轻人喜欢从众,一看他们心仪的艺人都穿上这个衣服了,当然会趋之若鹜……

听到这里,我只有拼命点头的份儿了。我就是再愚笨,也明白在这样强大的攻势之下,流行色当然生命力蓬勃。

那位先生看我茅塞顿开的样子,表示满意,说,如果你是生产厂家,你会怎样想?

我说,那还用问?当然是希望买我衣服的人,越多越好。

那位先生说,对啊,人心同理。要是谁都新三年、旧三年,缝缝补补又三年,服装厂还不得关门?所以,每年的流行色一定要和上一年的有所不同,让你不能以旧充新,鱼目混珠。再有就是造舆论,让你觉得自己穿的不是流行色,就有一种自卑感,不入流,被社会抛弃……这样的舆论氛围一旦形成,从众心理浓厚的人,就会被裹挟而进,成了流行色的"俘虏",厂家就会微笑。

我说,如果我硬是不买流行色,你们能怎么样呢?

那位先生和气地笑起来,说,那我们一点办法也没有。不跟着流行色走的人,通常分两类。一种是特别贫穷,他们原本就没有能力不停地置换服装,所以,也不是服装行业的消费者,基本可以忽略不计。再有一种,就是特别有品位的人,他们不在乎流行什么,只在乎什么东西对自己是最适合的。对这后一种人,我们也是鞭长莫及无可奈何啊!

那一天的会议,让我获益匪浅。这位先生犹如奸细,让我获取了关于服装的真实情报。也许对于时尚中人,这些都是常识,但对我这样一个服装盲来说,的确醍醐灌顶。我想,我似乎不能算作买不起衣服的人,但也绝对不是有独立见解,能孤傲地挺立于潮流之外的人。

对于我们普通人来说，如何在光怪陆离的现代服装海洋中，安然自得地驾着自己的小船，吟唱渔歌呢？

我想最好的方式，就是保持衣物的洁净，不追赶时髦。因为流行色的实质，多是商人的利益，它铁定了主意让你总是气喘吁吁手忙脚乱地追赶潮流。我不需要那么多的衣服。如果你的衣服有污渍，无论它多么华贵，在没有清洗干净之前，不要穿着它出门。华贵表达着你的财富，而洁净证明着你的品质。

衣服只是外包装，内在的精神洁净才是最重要的。

我所喜爱的女性

我喜欢爱花的女性，花是我们日常能随手得到的最美好的景色。从昂贵的玫瑰到卑微的野菊，花不论出处，朵不分大小，只要生机勃勃地开放着，就是令人心怡的美丽。不喜欢花的女性，她的心多半已化为寸草不生的黑戈壁。

我喜欢眼神乐于直视他人的女性。她会眼帘低垂余光袅袅，也会怒目相向入木三分。更多的时间，她是平和安静甚至是悠然地注视着面前的一切，犹如笼罩风云的星空。看人躲躲闪闪目光如蚂蚱般跳动的女性，我总疑她受过太多的侵害。这或许不是她的错，但她已丢了安然向人的能力。

我喜欢到了时候就恋爱、到了时候就生子的女人，恰似一株按照节气拔苗分蘖结粒的麦子。我能理解一切的晚恋晚育和独身，可我总顽固认为逆时辰而动，需储存偌大的勇气，才能上路。如果是平凡的女子，还是珍爱上苍赋予的天然节律，徐步向前。

我喜欢会做饭的女人，这是从远古传下来的手艺。博物馆描述猿人生活的图画，都绘着腰间绑着兽皮的女人，低垂着乳房，拨弄篝火，准备食物。可见烹饪对于女子，先于时装和一切其他行业。汤不一定鲜美，却要热。饼不一定酥软，却要圆。无论从爱自己还是

爱他人的角度想，"食"都是一件大事。一个不爱做饭的女人，像风干的葡萄干，可能更甜，却失了珠圆玉润的本相。

我喜欢爱读书的女人。书不是胭脂，却会使女人心颜常驻。书不是棍棒，却会使女人铿锵有力。书不是羽毛，却会使女人飞翔。书不是万能的，却会使女人千变万化。不读书的女人，无论她怎样冰雪聪明，只有一世才情，可书中收藏着百代精华。

我喜欢深存感恩之心又独自远行的女人。知道谢父母，却不盲从。知道谢天地，却不畏惧。知道谢自己，却不自恋。知道谢朋友，却不依赖。知道谢每一粒种子每一缕清风，也知道要早起播种和御风而行。

示弱的力量

如果你从不出错,这是一个悲剧。一是自己太累,二是你周围的人会视你为怪物。让自己在无伤大雅的时候出一点小差错,不会暴露出你的无能,只会彰显出你的可爱。

太多的女人是完美主义者。比如她们不能容忍自己的饭菜咸了或是淡了,会因此耿耿于怀。比如她们不能接受自己好不容易挑选的百货,在另外一家卖场,居然看到了更便宜的价签。她们力求把最小的事也完成得完美无瑕,如果有了瑕疵,就会耿耿于怀闷闷不乐,长久地沉浸在遗憾之中。小事都如此,大事你尽可想见她们是如何锱铢必较精益求精。结局是百密一疏,总有疏漏。这世上本没有十全十美之事,就算有,也未必次次都宠幸于你。于是此类女子,就无法享有片刻的彻底放松。

如果你意识到自己是一个完美主义者,如果你想改正,我教你一个小方法,那就是——卖个破绽与你。早年间,看中国的旧式小说,两军交战,常常是武艺高强的那一方,却抵挡不过武艺稍差的那一方,文中会写道:"卖个破绽与他,拍马便走……"那之后,往往有一番周旋。

有完美主义倾向的女子,卖个破绽,就是明显地示弱了。刚开始

改正这个毛病的时候，其实挺痛苦的。这就好比原本可以吃三碗饭，却吃了一碗就放下筷子，心里发虚。改正缺欠，不但需要意志顽强，也需要循序渐进。在一些不甚重要的事上，先放手，容忍缺憾和不足，这也是让自己从完美主义的泥潭中拔出脚来的奠基石。

记住啊，示弱就是你破除自己完美魔咒的一个小裂口。示弱之后，你会发现，做一个不完美的人是需要勇气的，也是有乐趣的。因为，世界本来就是不完美的，我们不过是顺势而为。

第三辑

优秀女子的择偶标准

幸福就是没有痛苦的时刻,它的出现并不像我们想象的那样少。人们常常是在幸福的金马车已经驶过去很远后,才捡起地上的金鬃毛说:「原来我见过它。」

婚姻鞋

婚姻是一双鞋。

先有了脚,然后才有了鞋。幼小的时候光着脚在地上走,感受沙的温热、草的润凉,那种无拘无束的洒脱与快乐,一生中会将我们从梦中反复唤醒。

走的路远了,便有了跋涉的痛苦。在炎热的漠地被炙得像鸵鸟一般奔跑,在深陷的沼泽被水蛭蜇出肿痛……

人生是一条无涯的路,于是人们创造了鞋。

穿鞋是为了赶路,但路上的千难万险,有时尚不如鞋中的一粒沙石令人感到难言的苦痛。

鞋,就成了文明人类祖祖辈辈流传的话题。

鞋可由各式各样的原料制成,最简陋的是一片新鲜的芭蕉叶,最昂贵的是仙女留给灰姑娘的那只水晶鞋。

不论什么鞋,最重要的是合脚,不论什么样的姻缘,最美妙的是和谐。

切莫只贪图鞋的华贵,而委屈了自己的脚。别人看到的是鞋,自己感受到的是脚。脚比鞋重要,这是一条真理,许许多多的人却常常忘记。

我做过许多年医生，常给年轻的女孩子包脚。锋利的鞋帮将她们的脚踝砍得鲜血淋淋，粘上雪白的纱布，套好光洁的丝袜，她们袅袅地走了。但我知道，当翩翩起舞之时，也许会有人冷不防地抽搐嘴角：那是因为她的鞋。

看到过祖母的鞋，没有看到过祖母的脚。她从不让我们看她的脚，好像那是一件秽物。脚驮着我们站立行走，脚是无辜的，脚是功臣。丑恶的是那鞋，那是一副刑具，一套铸造畸形残害天性的模型。

每当我看到包办而蒙昧的婚姻，就想到祖母的三寸金莲。

幼时我有一双美丽的红皮鞋，但鞋窝里潜伏着一只夹脚趾的虫。每当我不愿穿红皮鞋时，大人们总把手伸进去胡乱一探，然后说："多么好的鞋，快穿上吧！"为了不穿这双鞋，我进行了一个孩子所能爆发的最激烈的反抗。我始终不明白：一双鞋好不好，为什么不是穿鞋的人具有最后否决权？！

旁的人不要说三道四，假如你没有经历过那种婚姻。

滑冰要穿冰鞋，雪地要着雪靴，下雨要有雨鞋，旅游要有运动鞋。大千世界，有无数种可供我们挑选的鞋，脚却只有一双。朋友，你可要慎重！

少时参加运动会，临赛的前一天，老师突然给我提来一双橘红色的带钉跑鞋，祝愿我在田径比赛中如虎添翼。我褪下平日训练的白网鞋，穿上像橘皮一样柔软的跑鞋，心中的自信也突然溜掉了。鞋钉将跑道锲出一溜齿痕，我觉得自己的脚被人换成了蹄子。我说我不穿跑鞋，所有的人都说我太傻。发令枪响了，我穿着跑鞋跑完全程。当我习惯性地挺起前胸去撞冲刺线的时候，那根线早已像绶带似的悬挂在别人的胸前。

橘红色的跑鞋无罪，该负责任的是那些劝说我的人。世上有很多很好的鞋，但要看适不适合你的脚。在这里，所有的经验之谈都无济于事，你只需在半夜时分，倾听你脚的感觉。

看到那位被称为"赤脚大仙"的参加世界田径大赛的南非女子的风采，我报以会心一笑：没有鞋也一样能破世界纪录！脚会长，鞋却不变，于是鞋与脚，就成为一对永恒的矛盾。鞋与脚的力量，究竟谁的更大些？我想是脚。只见有磨穿了的鞋，没见有磨薄了的脚。鞋要束缚脚的时候，脚趾就把鞋面挑开一个洞，到外面去凉快。

脚终有不长的时候，那就是我们开始成熟的年龄。认真地选择一种适宜自己的鞋吧！一只脚是男人，一只脚是女人，鞋把他们联结为相似而又绝不相同的一双。从此，世人在人生的旅途上，看到的就不再是脚印，而是鞋印了。

削足适履是一种愚人的残酷，郑人买履是一种智者的迂腐。步履维艰时，鞋与脚要精诚团结。平步青云时，切不要将鞋儿抛弃……

当然，脚比鞋贵重。当鞋确实伤害了脚，我们不妨赤脚赶路！

恋爱为什么无疾而终

我开诊所的时候,有一天来了一位美丽的姑娘。她的外表看起来几乎无懈可击:身材玲珑有致,充满了女性的味道,但绝不张扬。皮肤有一种珍珠般的柔和光泽,莹莹闪光而不烁目,头颈上下浑然一体,没有任何泾渭分明的色差界限,看得出是天生丽质,不是蜜粉涂抹化妆所为。五官很清俊,搭配在一起,鹅蛋脸,柳眉入鬓,只是嘴巴有点大,和中国古代的仕女形象有一点区别,但我知道,如今大嘴巴正是性感的标志。一袭粉蓝色的职业装,双腿优雅地叠架在一起,浑圆的膝盖在剪裁贴身的高档毛料下若隐若现。我们就称她为梓怡吧。

梓怡款款说来,我是从国外回来的,我知道心理医生是干什么的,不一定非要出了大问题,比如抑郁症或是要自杀什么的,才来看心理医生。我在一般人眼里很正常,甚至是太正常了。我要求教您的也是一个很正常的问题,就是——我的恋爱为什么总是无疾而终?刚开始交往得好好的,彼此都谈得来,但是深入接触之后,那些男子就都退避三舍了。真的,不是我不愿意,都是他们先打退堂鼓的。您可以想见这样的结局对我的打击有多大,也许说是打击,也不完全准确,更多的是好奇。我怎么啦?我难道配不上他们吗?我各方面的条件都很优越，说实话，我跟他们交往，已经抱了一种下嫁的姿态。我有国外的文凭，收入很高，自己有房子有车，其他的硬件条件，您也看到了，不是我自夸，真的也是百里挑一，而且，我也很会示弱呢！

我有点惊奇，轻声重复道，示弱？！

她说，对啊，我会把我的收入打个五折，不然太高了，会让男方自卑。我也会心甘情愿地跟着男朋友到小馆子吃饭，要知道我平日出差，都是住五星级酒店呢！我并不怕吃苦，但该让男士有表现绅士风度的机会，我是一定留给他们的……刚开始交往不久，我就会督促他们给家中的老人买礼物贺生日。倒不是我故意要装出贤惠的样子，实在是我也常常惦念自己的父母，希望大家都能有一颗孝顺之心……您说我做的还有哪些不够呢？真想不明白。

现在，不但是梓怡想不明白，连我也一头雾水了。我想，莫非那些男子真是有眼无珠，这么好的一个妙龄女子，为什么他们却不知珍惜？

心理咨询需要过程，第一、第二次见面，我们只能是互相了解，建立彼此信任的关系。临走的时候，梓怡拿出钱夹，说，我要送您一件礼物。我说，你已经按照规定缴纳了费用，我不能再接受你的礼物。她微笑着说，这不是一件平常的礼物，您一定要收下。说着，她拿出一张相片。这是她本人的艺术照，照片上的梓怡更是光彩照人。我只有收下，当面拒绝接受一个人的照片，几乎等于宣战。

咨询的频率是每星期一次。在其后几天，我常常会看着梓怡的照片愣神。这样姣好的一个女子，居然很可能寂寞老去，问题究竟出在哪里呢？

终于，我找到了一个方向。梓怡下次来的时候，我说，看来你是很喜欢照相啦？她说，是啊！哪个不喜欢挽留青春呢？我说，如果不保密的话，能不能把你自己的闺房照下来给我看看？特别是墙壁的颜色。她说，这有什么难的！我装修得可精美了，也非常舒适，每间屋子的色彩都不一样。对了，您要这些图片有什么用呢？我开玩笑说，我也要装修房子，猜想你的家一定很有创意，很想学习一下呢。

几天后，梓怡用电子邮件把她家的图片发来了。看得出来，她很细心，把边边角角都照了下来，的确是匠心独运，有很多机灵的小点子。其实，我是醉翁之意不在酒。

再一次见到梓怡，我说，那些男士离你而去的时间，让我来猜一猜。梓怡说，好啊，心理学家有的时候也兼算命吗？

我说，这和算命无关，只和我的一个小小推断有关。我猜他们先是和你交往了一段时间，彼此感觉都不错。然后你们约会的场所就从公园、酒吧、咖啡厅等公共场合，转到了比较私密的空间。

梓怡说，您说得一点都不错。我们总不能在凛冽的寒风中在街上走来走去吧？他们会邀请我到他们家去，但是在关系没有最后确定下来之前，我不愿早早地就见到他们的亲属，那样留给自己选择的余地就比较狭小了。我希望婚姻这件事的按钮始终在两个当事人自己的手中，这才有最大的自由。既然他们家不能去，那么到我家就比较合适了。况且，我看到一些教女孩子如何谈恋爱的书籍上写了，约会不要到陌生的地方去，要到自己熟悉的地方。您说，还有什么地方比自己的家更熟悉的呢？在我的家里，我会更安全，也更自在。

我点点头，表示深深的赞同。我说，但是，悲剧接着发生了。当你以为恋爱关系稳步向前推进的时候，男方突然表示撤退了……

梓怡哀戚地说，您如何知道的？正是这样啊……我莫名其妙，不断地追问这到底是为了什么，可他们就是不说，逼急了，就丢出一句：你一定能找到比我更好的人！这叫什么话嘛！推诿逃避，连说一句真话的勇气都没有！梓怡生起气来。实话实说，梓怡就是在生气的时候也是楚楚动人。

我说，我倒是猜出了一点苗头。

梓怡很惊讶，说，您认识他们之中的某一个人吗？

我说，不认识，可我这里有照片。

梓怡真是一个对照片很有兴趣的人，她立刻打起精神，凑过来说，谁的照片？

我把洗出来的照片摊在沙发前的茶几上，梓怡只看了一眼，就说，这有什么可看的，这不就是我发给您的我家的照片吗？

我说，对啊，你的家，你自然是最熟悉的，但最熟悉的东西，你却未必最能认清它。你看看这墙壁……

在所有的墙壁上，都镶有梓怡的大幅照片：有娇媚的，有哀怨的，有若有所思的，有充满期盼的……我说在"所有的墙壁上"，并没有夸张，就连卫生间的马桶上方，都有梓怡的靓照在俯视。在这样的地方如厕，闹不好会排泄不净。

梓怡是聪明女子，她若有所思地说，这有什么不对吗？这是我自己的家啊。

我说，对啊，如果这永远只有你一个人居住和观赏，也许问题并不很大。但是，你让另外一个人走进了你的家门，在这样一个高度自恋的氛围中，那个人很可能感到压抑。这里是你一统天下，没有他人喘息的空间了……

梓怡的故事到此为止，结局大家都可以猜得到。后来，她结婚了，对爱人非常满意。她给我打了一个电话，说，我知道心理医生的规矩是不能和来访者有密切关系的。我如果请您来参加婚礼，我以后有了什么问题，就不好再求您帮助了。所以，为了我以后还能在为难的时候找到您，我就只打这个电话告诉您我的婚讯。

我说，好啊，祝福你。

直到现在，我再也没有接到梓怡的求助，想来，她一切都还好吧。

如果你有很多美丽的照片，请不要把自己的家变成展示这些照片的博物馆，那无意中将是一种排斥他人、唯我独尊的信号，说明你的世界里充满了你，让人却步。高傲、自恋的女人，在让人欣赏的同时，会让人远离——男人和女人都对高度自我的人敬而远之。

垃圾婚

有一位女博士,电话里表示要采访我。因为日程排满了,我和她约了多日之后的一个晚上。那天,我早早到了咖啡厅。她来迟了,神情疲惫。我说,你是不是生病了?如果不舒服,别勉强。她很急迫地说,不不不……我现在就是希望和人谈话,越紧张越好。

于是,我们开始。她打开笔记簿,逐条提问。看得出,她曾做过很充分的准备,但此刻精神却是萎靡恍惚的。交流正到关键时刻,她突然站起,说,不好意思,我上一下洗手间。

我当然耐心等待。她回来,落座,我们接着谈。不到十分钟,她又起身,说,不好意思,然后匆匆向洗手间方向小跑而去。

一而再,再而三。因为我们所坐的位置离洗手间有一段距离,拐来拐去一趟,颇费时间,谈话便出现了很多空白和跳跃。她不断地添加咖啡,直到我以一个医生的眼光,认为她在短时间内摄入的咖啡因含量,已到了引起严重失眠和心律失常的边缘。

我委婉地说,你要在意自己身体,如果不适,咱们改日再谈吧,咖啡也要适当减少些,不然,像你这样美丽的女孩,会变得皮肤粗糙面容黯淡了……

她猛地扔开采访本,说,我这个样子,您仍旧认为我是美丽和光

彩的吗?

我说,是啊,当然是。如果安安稳稳地睡上一个好觉,我相信你更会容光焕发。

她说,您说的"睡觉",是什么意思呢?

我说,就是很普通很家常很必需的睡觉啊。温暖安全的房间,宽大的床铺,松软的枕头,蓬松的被子……当然了,空气一定要清新,略带微微的冷最好。喔,还有一件顶重要的事,要有一架小小的老式闹钟,放在床头柜上。到了预定时间,它会发出喑哑而锈的声音,刚好把你唤醒又不会吓你一跳……起床了,你就可以生龙活虎地快乐地干事了……

她用两只手握着我的手说,您怎么和我以前想的一模一样?!可惜,我现在不这样认为了。读博士的时候,我认识了乔,当他在草地上说,咱们睡一觉吧!我以为是仰望着蓝天白云,享受浪漫的依偎,没想到他就让我们的关系,从恋人火速到了夫妻。乔说,睡觉就是"性"的代名词。

女博士握着我的手,她的一只手很热,捂着咖啡杯的缘故,一只手很冷,那是此刻她的体温。

我说,乔是什么人呢?

她说,乔是个企业家,他没有很高的学历。乔说他喜欢读过很多书的人,特别是读过很多书的女人,尤其是读过很多书又很美丽的女人。我喜欢乔这样评价我的长处——读书和美丽。如果单单看到我的书读得好,比如我的导师和我的师兄弟们,我觉得他们太不懂得欣赏女人的奥妙了。但如果只是看到我的美丽,比如有些比乔拥有更多财富和权势的人物喜欢我,但我觉得他们买椟还珠。

后来，我和乔结婚了。乔不算很富有，他原来说要给我买有游泳池的房屋，最后呢，只买了一套浴缸了事。但我不怨乔，我知道男人们都爱在他们喜爱的女人面前夸口。我相信只要乔好好发展，游泳池算什么呢？将来我们也许会拥有一个海岛呢！以我的学识和美丽，加上乔的生猛活力，我们是一对黄金伴侣。

说到黄金，结婚多少年之后，有一个称呼，叫作"金婚"。我看，婚姻必得双方原先就是两块黄金，结合在一起，才能是"金婚"吧？两块木头，用铁丝缠在一起多少年，也变不成黄金，只能变成灰烬。对不对？乔说，咱们一结婚，就是金婚了。

有一天，我有急事呼乔，乔那天为了躲一笔麻烦的交易，把手机关了。他说，呼机我开着呢，你呼我，我会回话。可我连呼多次，他就是没反应。晚上，我问乔说，你让我呼你，可你为什么不理我？他说，是吗？我不知道啊。他把呼机摘下说，喔，没电了。说完，他就出外办点小事。正好抽屉里有电池，我就给他的呼机换上了。电池刚换好，呼机就响了。来电显示了一个电话号码，并有呼叫者的全名——一位女士。留言也是埋怨乔为什么杳无回音？口气肉麻暧昧，绝非我这个当妻子的说得出来。让呼台小姐转达如此放肆的情话，也不怕闪了舌头。

我立马把呼机扔到床上，好像它是活蟑螂。本能让我猜出了它后面的一切，阴谋在我的身边已经潜伏很久了。

我要感谢我所受过的系统教育，让我在混乱中很快整出条理——我首先要搞清情况，我不能再被人蒙在鼓里。背叛和欺骗，是我的两大困境，我要各个击破。威严的导师可能没想到，他所教授我的枯燥的逻辑训练和推理能力，成为我在情场保持起码镇定的来源。我立即把呼机里的新电池退下,把乔的旧电池重新填进。然后,整个晚上,用最大的毅力,憋住了不询问乔有关的任何事宜,乔也没有注意到我的沉默。那个电话号码和姓名,像我学过的最经典的定律,刻在了我的脑海里。

我先是查了乔的手机对外联络号码,我知道了乔和那女人通话之多,令人吃惊。我又查到了那个女人的住址和身份。

我找到她,我不知自己为什么要先找到她,而不是先和乔谈。也许,我不想再听乔的欺骗之词,那不仅是对感情的蹂躏,也是对我的智商的藐视。在我的潜意识里,也有几分好奇,我想知道这个把我打得一败涂地的女人,是个什么样子。

我找她的那一天,精心地化了妆,比我去见任何一位我所尊重的男士,出席任何一个隆重的场合,都要认真。我挑选了自己最满意的服饰,临敲她门的时候,心怦怦直跳。很可笑,是不是?但我就是那样子,完全丧失了从容。

门开了,她说她就是我要找的人。我倚着门框,简直要晕倒。我以为自己将看到一位国色天香的玉人,那样我输得其所,输得心甘情愿。我会恨乔,但我还会保存一点尊严。但眼前的这个女人,矮、黑、胖,趿拉着鞋,粗俗得要命,牙缝里还黏着羽绒似的茴香叶子……

我问她那个传呼是什么意思?她说,你就是乔的那个博士老婆吧?你能想到什么意思,就是什么意思。你是博士吗?这点常识还没有!我什么也说不出来了,木然地往回走,那女人还补了一句,乔说了,跟博士睡觉,也就那么回事儿,没劲!

我跟乔摊开了,他连一点悔恨的表示都没有,说,离吧,我本来以为博士有特殊的味道，试了试，也就那么回事儿。你要是睁一眼闭一眼地过，也行，你还这么心眼多且不饶人，得了，拜拜吧。

办离婚那天，距我们结婚的日子，正好十个月，我不知道十个月的婚姻，有什么叫法，我把它称为"垃圾婚"。我们原本就不是金子，他不是，我也不是，把一种易生锈的东西和另一种易腐蚀的物件搁在一处，就成了垃圾。

我外表上还算平静，还可以做研究采访什么的，但我的内心受了重创。乔摧毁了我的自信心，我想，那个女人吸引他的地方是什么呢？容貌学历她一点没有，有的就是睡觉吧？那有什么了不起的？睡觉谁不会呢？我既然能做得了那么繁复深入的研究，睡觉能难得倒谁呢？我开始和多个男友交往，很快就睡觉。我得了严重的泌尿系统感染症，这两天又犯了，但咱们约好的时间我不想更改，这就是我不断地上洗手间的原因……

听着听着，我用手指围住滚热的咖啡杯。在她描述的过程中，我的手端渐渐冷却。

我该怎么办？女博士问我。

先把病治好。我说。

这我知道，也不是没治过，只是治好了，频繁地睡觉，就又犯了。她有些不好意思地说。

我说，睡觉，我说的是纯正的睡眠，对治病只有好处，没有坏处。女人们首先享有自己安宁的睡眠，才有力量清醒地考虑爱情啊。

女博士说，可是，我的垃圾婚姻呢？

我说，不是已经结束了吗？

她说，可是我还在垃圾堆里啊。

我说，你愿意当垃圾吗？

她说，这还用说吗？当然是不愿意的啦！可是，谁能救我？

我说，救你的只有一个人，就是你自己啊。既然你不愿意当垃圾，很好办，离开垃圾堆就是了。

她说，就这么简单啊？

我说，就这么简单。当然，具体做起来，你可能要有斗争和苦恼，但关键是决心啊。只要你下了决心，谁能阻止一个人从垃圾中奋起呢！

女博士点点头，招来侍者，说，我不要咖啡了，请来一杯白开水。我不再用浓浓的咖啡麻醉或是刺激神经了，有时候，最简单的办法，就是最有力量的啊。

我说，祝你睡个好觉。

温暖的荆棘

这一天,咨询者迟到了。我坐在咨询室里,久久地等候着。通常,如果来访者迟到太久,我就会取消该次咨询。因为是否守时,是否遵守制度,是否懂得尊重别人,都是咨询师需要以行动向来访者传达的信息。试想一下,如果一个人在没有不可抗力的情况下,对准备帮助自己的人都不能践约,你怎能期待他有良好的改变呢?再说,重诺守信也是现代社会的基本礼仪。因为等得太久,我半开玩笑地问负责安排时间的工作人员,这是一位怎样的来访者,为什么迟到得这样凶?

工作人员对我说,请您不要生气,千万再等等他们吧。我说,他们是谁,好像打动了你?为什么你的语气充满了柔情,要替他们说好话?我记得你平常基本上是铁面无私的,如果谁迟到超过十五分钟,你都会很不客气。工作人员笑着说,我平常是那么可怕吗?就算铁石心肠也会被那个小伙子感动。他们是一对来自外省的青年男女,失恋了,一定要请您为他们做咨询,央求的时候男孩嘴巴可甜了。现在他们坐在火车上正往北京赶呢,倾盆大雨阻挡了列车的速度,小伙子不停地打电话道歉。

我说,像失恋这样的问题,基本上不是一两次咨询就可以见到成效的。他们身在外地，难以坚持正规的疗程，不知道你和他们说过吗？

工作人员急忙说，我都讲了，那个男生叫柄南，说他们做好了准备，可以坚持每星期一次从外地赶来北京。原来是这样，那就等吧。原本是下午的咨询，就这样移到了晚上。他们到达的时候，浑身淋得像落汤鸡一般，女孩子穿着露肚脐的淡蓝短衫和裤腿上满是尖锐破口的牛仔裤，十分前卫和时髦的装束，此刻被雨水贴在身上，像一个衣衫褴褛的丐帮弟子。她叫阿淑。

柄南也被淋湿，但因他穿的是很正规的蓝色西裤和白色长袖衬衣，虽湿但风度犹存。柄南希望咨询马上开始，这样完成之后，还能趁着天不算太黑去找旅店。

工作人员请他们填表，柄南很快填完，问，可以开始了吗？

我说，还要稍微等一下，有个小问题：吃饭了吗？

吃了。两个人异口同声地回答。

我又问，吃的是哪一顿饭呢？

他们回答说，中午饭。

我说，现在已经过了吃晚饭的时间。空着肚子做咨询，你们又刚刚经了这么大的风雨，怕支撑不了。这里有茶水、咖啡和小点心，先垫垫肚子再说。

两个人推辞了一下，可能还是冷和饿占了上风，就不客气地吃起来。点心有两种，一种有奶油夹心，另一种是素的。阿淑显然是爱吃富含奶油的食品，把前一种吃个不停。柄南只吃了一块奶油夹心之后就专吃素饼了，看得出，他是为了把奶油饼留给阿淑吃。其实点心的数量足够两个人吃的，他还是呵护有加。

等到两人吃饱喝足之后,我说,可以开始了。

柄南对阿淑说,你快去吧。

我说,不是你们一起咨询吗?

柄南说,是她有问题,她失恋了,我并没有问题,我没有失恋。

我说,你是她的什么人呢?

柄南没有正面回答我的问题,只是说,她是我的女朋友。

我说,难道失恋不是两个人的事吗?为什么她失恋了,你却没有失恋?

柄南说,您慢慢就会知道的。

我真叫这对年轻人闹糊涂了,好比有一对夫妻对你说他们离婚了,然后又说女的离婚了,男的并没有离婚……恨不能就地晕倒。

咨询室的门在我和阿淑的背后关闭了。在这之前,阿淑基本上是懒怠而木讷的,除了报出过自己的名字和吃了很多奶油饼外,她的嘴巴一直紧闭着。随着门扇的掩合,阿淑突然变得灵敏起来,她用山猫样的褐色眼珠迅速睃寻四周,好像一只小兽刚刚从月夜中醒来。在我面前坐定,伸直修长的双腿之后,她说的第一句话是——您这间屋子的隔音性能怎么样?

我还是第一次碰到来访者问这样的问题,就很肯定地回答她,隔音效果很好。

阿淑还是不放心,追问道,就是说,咱们这里说什么话,外面绝对听不到?

我说,基本上是这样的,除非谁把耳朵贴在门上。但这大体是行不通的,工作人员不会允许。

阿淑长出了一口气,说,这样我比较放心。

我说，你千里迢迢地赶了来，有什么为难之事呢？

阿淑说，我失恋了，很想走出困境。

我说，可是看起来你和柄南的关系还挺密切啊。

阿淑说，我并不是和他失恋了，是和别人。那个男生甩了我，对此我痛不欲生。柄南是我以前的男友，我们早已不来往好几年了。现在听说我失恋了，就又来帮我，陪着我游山玩水，看进口大片，吃美国冰淇淋，您知道这在外省的小地方是很感动人的，包括到北京来见您，都是他的主意……阿淑说话的时候不时地看看门的方向，好像怕柄南突然把门推开。

我说，阿淑，谢谢你对我的信任，让我对你们的关系比较清楚一点了。那么，我还想更明确地听你说一说，你现在最感困惑的是什么呢？

阿淑说，天下没有免费的午餐，当然也没有免费的人陪着你走过失恋。现在的问题是，我要甩开柄南。

说到最后这一句话的时候，阿淑把声音压得很低，凑到我的耳朵前，仿佛我们是秘密接头的敌后武工队员。

我在心底忍不住笑了——在自己的咨询室里，我还从来没有过这样鬼鬼祟祟的样子呢。面容上当然是克制的，来访者正在焦虑之中，我怎能露出笑意？我说，看来你很怕柄南听到这些话？

阿淑说，那是当然了。他一直以为我会浪子回头和他重修旧好，其实，这是根本不可能的。谢谢他，我已经从旧日的伤痕中修复了，可以去争取新的爱情了，但这份爱情和柄南无关。我到您这来，就是想请您帮我告诉他，我并不爱他。我是失恋了，但这并不等于他盼来了机会。我会有新的男朋友，但绝不会是他。

我看她去意坚决，就说，你已经想得很清楚了？

阿淑说，是的，很清楚了，就像白天和黑夜的分割那样清楚。

我说，这个比方打得很好，让我明白了你的选择。但是，我还有一点很疑惑，你既然想得这样清楚，为什么不能说得同样清楚呢？你为什么不自己对柄南大声说分手？你们朝夕相处，肯定不止有一千次讲这话的机会。为什么一定要千里迢迢地跑到北京，求我来说呢？

阿淑把菱角一样好看的嘴巴撇成一个外八字，说，您怎么连这都不明白？我不是怕伤害他嘛！

我说，你很清楚你不承认是柄南的女朋友就伤害了他？

阿淑说，几年前，我第一次离开他时，他几乎吞药自杀，好不容易才缓过神来。这一次，真要出了人命关天的事，我就太不安了。

我说，阿淑，看来你内心深处还是一个善良的女孩。只是，当你深陷在失恋的痛苦的时候，你明知自己无法成为柄南的女友，还是要领受他的关爱和照料，因为你需要一根救命的稻草。现在，你浮出了旋涡，就想赶快走出这种暧昧的关系。只是，你不愿意看到这种悲怆的结局，你希望能有一个人代替你宣布这个残忍的结论，所以你找到了我……

阿淑说，您真是善解人意，现在只有您能帮助我了。

我说，阿淑，真正能帮助你的人，只有你自己。虽然我非常感谢你的信任，但是，我不能代替你说这样的话，你只有自己说。当然了，这个"说"，就是泛指表达的意思。你可以选择具体的方式和时间，但没有人能够替代你。

阿淑沉默了半天，好像被这即将到来的情景震慑住了。她吞吞吐吐地说，就算我知道了这样做是对的，我还是不敢。

我说,阿淑,咱们换一个角度想这件事,如果柄南不愿意和你保持恋人的关系了,你会怎样?

阿淑说,这是不可能的。

我说,世上万事皆有可能,我们现在就来设想一下吧。

阿淑思忖了半天,说,如果柄南不愿意和我交朋友了,我希望他能当面亲口告诉我这件事。

我说,对啊,己所不欲,勿施于人。如果柄南找到一个第三者,托他来转达,你以为如何呢?

阿淑咬牙切齿地说,那我会把第三者推开,大叫着好汉做事好汉当,千方百计找到柄南,揪住他的衣领,要他当面锣对面鼓地给我一个说法、一个解释、一个理由、一个结论!

我说,谢谢你的坦诚,答案出来了。失恋这件事,对于曾经真心投入的男女来说,的确非常痛苦。但再痛苦的事件,我们都要有勇气来面对,因为这就是真实而丰富多彩的人生的本来面目。困境时刻,恋情可以不再,但真诚依旧有效。对于你刚才所说的四个"一",我基本上是同意一半,保留一半。

阿淑很好奇,说,哪一半同意呢?

我说,我同意你所说的——对失恋要有一个结论、一个说法。因为"失恋"这个词,你想想就会明白,它其中包含了个"失"字,本质就是一种丧失,有物质更有精神的一去不复返,有生理更有心理的分道扬镳。对于生命中重要事件的沉没,你需要把它结尾,就像赛完了一项马拉松或是吃完了一顿宴席,你要掐停行进中的秒表,你要收拾残羹剩饭,刷锅洗碗。你不能无限制地孤独地跑下去,那样会把你累死。你也不能面对着曲终人散的空桌子发呆,那渐渐腐败的气味

会像停尸间把人熏倒……

阿淑说,这一半我明白了,另一半呢?

我说,我持保留意见的那一半,是你说在失恋分手的时候要有一个解释、一个理由。

阿淑说,我刚才还说少了,一个解释、一个理由哪里够用?最少要有十个解释、十个理由!轰轰烈烈的一场生死相依,到头来悄无声息地烟消云散了,还不许问为什么,真想不通!郁闷啊郁闷!

我说,我的意思不是瞒天过海什么都不说,不是让大家如坠云里雾中,死也是个糊涂鬼。人心是好奇的,人们都愿意寻根问底,踏破铁鞋地寻找真谛。这在自然科学方面是个优良习惯,值得发扬光大,但在情感问题上,盘根问底要适可而止。失恋分手已成定局,理由和解释就不再重要。无论是性格不合还是家长阻挠,无论是两地分居还是第三者插足,其实在真正的爱情面前,都不堪一击。没有任何理由能粉碎真正的伴侣,只有心灵的离散才是所有症结的所在。理由在这里不再重要,重要的是你要接受现实。

阿淑点点头说,我明白您的意思了。我应该有勇气面对自己的失恋,我不能靠着柄南的体温来暖和自己。况且,这体温也不是白给的,他需要我用体温去回报,温暖就变成了荆棘。

我说,谢谢你这样深入地剖析了自己,勇气可嘉,特别是"体温"这个词,让我也百感交集。本来你们重新聚在一起,是为了帮你渡过难关,现在,一个新的难关又摆在你们面前了。

阿淑身上的湿衣已经被她年轻的肌体烤干了,显出亮丽的色彩。她说,是啊,我很感谢柄南伸出手来,虽然这个援助并不是无偿的。现在,我要勇敢地面对这件事了,逃避只会让局面更复杂。

我说，好啊，祝贺你迈出了第一步。天色已经不早了，你们奔波了一天，也须安歇。今天就到这里吧，下个星期咱们再见。

阿淑说，临走之前，我要向您交一个功课。

这回轮到我摸不着头脑，我说，并不曾留下什么功课啊？

阿淑拿起那张登记表，说，这都是柄南代我填的，好像我是一个连小学二年级都没毕业的睁眼瞎，或是已经丧失了文字上的自理能力的废人。他大包大揽，我看着好笑，也替他累得慌，可是，我不想自己动手。我要做出小鸟依人的样子，让柄南觉得自己是强大的，让他感觉我们的事情还有希望。现在，我知道在这个问题上，我利用了柄南，自己又不敢面对，就装聋作哑得过且过。现在，我自己来填写这张表，我不需要您代替我对他说什么了，也不需要他代替我填写什么了。

我真是由衷地为阿淑高兴，她的脚步比我最乐观的估量还要超前。

看着他们的身影隐没在窗外的黑暗中，我不知道他们还会并肩走多远，也不知道他们的道路还有多长，但我想他们会有一个担当和面对。

眼药瓶的奥秘

渠枫来见我的时候，披头散发，衣帽邋遢。对一个容颜娟秀的女孩子来说，糟蹋自己到了这种地步，可见她遇到了重大的困厄，心灰意懒，已经抛弃自爱，不再珍重。

她一屁股坐下来，从内兜深处掏出一件东西，握在手心，对我说，都是它把我毁了！

我以为那会是一枚珠宝首饰或是一个信物，要么干脆是一封绝交信，没想到在渠枫苍白的缓缓展开的手掌心里，是一只普通的塑料的小眼药瓶。到街上的药店，一块钱可以买回三只。

我细细地观察着这只药瓶，奇怪它有何魔力，竟能把一个青春年华的女大学生折磨得如此憔悴萎靡？

药瓶基本上是空的，它的底部，有一些暗红色的渣滓沉淀着，好像是油漆的碎片。瓶颈部的封堵已被剪开，之所以特别提到了这一点，是因为它被剪开的位置反常地偏下。一般人怕药水大量滴出，瓶尖部的口通常开得很细小，但这只眼药瓶，几乎是从瓶肩部被截断了，瓶颈缩得短短，仅够套上瓶帽。

我看着渠枫，渠枫也看着我。很久很久，沉默如同黑色的幕布，遮挡着我们。

终于,渠枫说,你为什么不问我?

我说,我在等你。

渠枫说,等我什么?

我说,你来找我,就是信任我,我等着你把你想要对我说的话说出来。

渠枫又继续沉默,当我几乎不寄希望的时候,她突然说,好吧,我就把一切都告诉你。

我爱上了申拜,一个并不高大但是很有内涵的男生。有同学说,依你的条件,可以找一个比申拜外形更酷的男孩,申拜矮了些,要知道,身高就是男人的性感表现哦!我说,我看重的是申拜的内在。注重男子的身高,是农耕社会和游牧民族的习气了,机械欠发达的时候,男人的力气就是他的资本,比如扛麻包、挑担子什么的,当然是大个子占便宜。如今到了电子时代,经营决策,敲击电脑,都和身高无关。一个男人能不能给女人幸福,不在身高,在于内里的质量。

朋友被我驳得两眼如同死鱼,干张着嘴,无话可说。申拜知道了我的观点,对我更是呵护有加,体贴入微。他说,我是他交的第一个女朋友,我说,你也是我的……我们的感情很快进展到如胶似漆。一天,我约他到我家玩,父母正好同到外地出差。夜深了,他抱着我说,他忍不住了,想彻底全面地得到我。我急忙推开他的手,说,不……不能……

我看他退开,情绪很伤感,觉得我对他不信任,就急忙安慰他说,不是我不愿意,是我还没做好这个准备。下次吧,好吗?

他很尊重我,就让自己渐渐地平息下去,那一天,我们好说好散了。

没想到他期待中的下次，竟那么快，就是第二天。也许是怕我父母很快就会回来，我们就不容易找到如此安全无干扰的地方了。又是我的小屋，又是子夜时分，我们聊着，却都有些心不在焉，在期待着什么，畏惧着什么，迎接着，又想躲避……

他突然拥着我说，今天，你准备好了吗？

我战战兢兢地回答，准备好了。

我把灯熄灭了。在黑暗中，我们脱掉所有衣服，把彼此还原成伊甸园中的模样。我躺在自己的小床上，看着窗外，觉得自己的床如此陌生，我就要在这张床上变成申拜的新娘。我看到申拜被月光镀成青铜色的躯体，知道一个关键的时刻即将到来。

申拜的激情越来越蓬勃，我在昏眩中等待。就在箭即将离弦的时候，他突然抬起身体，说，渠枫，你说得对，我们还没有做好准备。既然我们要爱到地老天荒，为什么不能再等几个朝朝暮暮？我保存和尊重你的领土完整，直到婚礼之夜……

我拼命搂住他的身体，不让他离开我，声嘶力竭地叫道：不！申拜，你不能这样！不能！我要你！

但是，没用。申拜是一个自制力非常顽强的人，他一旦决定了，谁也无法更改。于是我绝望地看着他起身，拧亮电灯……于是，在明亮如昼的灯光之下，他看到了——在我的雪白的床单之上，有一片鲜红的血迹……

这是什么？他大吃一惊。

刚才，床单上还是什么都没有的啊……我干了什么？我什么都没干啊……

申拜惊愕地捶着自己的胸膛，我知道，在他的胸膛里，一颗纯洁

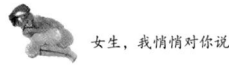

的心正在粉碎。

他疯了似的抓住我,歇斯底里地喊道,这是你干的,是你!是不是?

我泪水凄迷地点了点头。这屋子里没有别人,不是我干的,又是谁干的?!

这就是你所说的要做的准备,对不对?你想伪装成一个处女,你作案的工具在哪里?在哪里?!申拜的目光喷吐着蔑视的火焰,嘴唇哆嗦。

我不说,我什么也不说。我默默地穿上衣服,看着申拜,如同路人。刚才,我们还在肌肤相亲啊。

申拜在我的房屋里疯狂地寻找,很快,他就在我的床下找到了这只眼药瓶,里面还有几滴残存的血液。

申拜说,你是处女吗?

我说,我不是处女了。

申拜说,那个人是谁?

我说,是我以前谈过的一个男朋友。我不知道男人为什么要用性这种东西让女人来证明自己的爱,我那时还小,我不知道说"No",当我发现他不可信任的时候,我就离开了他。

申拜捏着这个眼药瓶说,这里面是你的血吗?

我哭了,说,不是,我没有办法把自己的血装进这个小瓶里,如果做得到,我愿用百倍千倍的血来证明我的爱。

申拜毫不为之所动,冷冷地追问,那这是谁的血?

我说,不是谁,是一只鸡。那只鸡是我杀的,它的尸体在垃圾桶里。

申拜说，想不到，你设计得这样周密啊！

我放声痛哭道，我不愿失去你！我知道你在意！我没办法，才想出这个主意。我本来想用现成的猪血豆腐，但那是凝固的，根本就不能流淌了。我后来到了菜场，我想跟人要点鳝鱼血，就说是为了治病，可我还是没法子把它装进小瓶里。后来，我买了一只活鸡。菜贩子说，小姑娘，我替你杀了吧，不多收钱。我说，不，我自己杀！

我从来没有杀过任何活物，包括一只螳螂或是蝴蝶。可是，为了我的爱情，一回到家，我挥刀就把鸡头斩了下来。鸡血飙射一地，好像谋杀案的现场。我往一只碗里注了冷水，再加了点白醋，然后把鸡血倒进去，拼命搅动。我从书上查到，这样血液就不会凝固了。然后我到街上买了几只眼药水瓶，先是开口剪得太小，血好不容易吸进去但又挤不出来，总之很不顺畅。我想熄灯后，留给我操作的时间不会太长，我得速战速决。后来我又把药瓶口子剪得太大了，瓶帽盖不住了。费了半天劲儿才弄得合适了，血吸进去后，一滴不漏，需要的时候，可以很快喷涌而出。一切都计算好了，只是没想到……

申拜双臂交叉，紧紧地抱住自己的肩膀，好像在狂风暴雨中。他冷笑道，你没想到什么？

我说，没想到你有如此坚强的毅力，没想到你那样地珍爱我……

申拜说，珍爱？只可惜，那是以前了。你伤害了我，什么都不存在了，保存好你的秘密武器吧！

他说着，把这只眼药瓶扔到我床上，扬长而去。

从那以后，我无论打给他多少电话，他一概不接。我堵着他，好不容易见到他了，他也没一个眼神……我太痛苦了，生命已没有价值……

渠枫拼命撕扯着自己的头发，没有一点痛觉的模样，好像那是一堆破渔网。

我看着愁云惨淡的渠枫，再看看那只眼药瓶。药瓶如同一个杀了人的子弹壳，丑陋而污秽。

我说，渠枫，你很后悔，你想挽回，你不知从何做起，对不对？

渠枫说，是啊是啊，快教我怎么办。

我说，你先告诉我，你最伤了申拜心的是什么？

渠枫说，他嫌我不再是处女。

我说，如果真是这个原因，此事已无可挽回。即便你做了修补手术，不似这次露馅儿，但他已法修补他的记忆。

渠枫想想，又说，他嫌我欺骗他。

我说，一个不诚实的人，确实人见人怕，你怎样才能让申拜认为你从此痛改前非，开始真诚？

渠枫说，我找到他，把我的苦心和忏悔告知他。如果他能原谅我，我就和他重新开始。如果他不能原谅我，我也只好认命了。但是，以后，我若再交了男朋友，该如何解释自己不是处女？

我说，交友的双方，都可以保留自己的隐私，这无可厚非。只是你机关算尽，导演了一场闹剧，你企图伪造一个现实，这就是欺骗了。恋人之间，谎言注定会杀伤幸福。渠枫，你已经付出了两次惨痛的代价，但是你还没有得到代价之后的思索，真正的爱情必定是真诚基础上的建筑。

姑娘，
你最近
还好吗

那天，一位姑娘走进我的心理诊室，文文静静地坐下了。她的登记表上咨询缘由一栏，空无一字。也就是说，她不想留下任何信息表明自己的困境。

我打量着她，衣着黯淡却不失时髦，看得出价格不菲。脸色不好，但在精心粉饰之下，有一种凄清的美丽。眉头紧蹙，言语虽是缓缓的，却如同细碎的弹片四下迸射。

"我得了乳腺癌，您想不到吧？不但您想不到，我也想不到。直到我躺在手术台上，刀子滑进我胸前皮肤的时候，我还是根本不相信这个诊断。我想，做完了手术，医生们就会宣布这是一个天大的误会。病理检验确认了癌症，我彻底垮了。化疗，头发被连根拔起。刀疤横劈，我知道我的生活发生了毁灭性的改变。我原是辆红色的小火车，有名利有地位有钱有高学历，拉着汽笛风驰电掣隆隆向前，人们都羡慕地看着我。现在，火车脱轨了，颠覆了，零件瘫落一地……

"我辞了外企的高薪工作，目前在家休养。我想，我的生命很有限了，我要用这有限的生命来做三件事情。第一件，以我余生的所有时间来恨我的母亲……"

无论我怎样克制着自己的情绪，还是不由自主地把震惊之色写满一脸。重病之时，正是期待家人支持的关键时刻，怎能如此决绝地痛恨母亲呢？

她看出了我的大惑，说："我的母亲是一个医生，在得知我得了病以后，她没有给过我任何关于保乳治疗的建议，总是督促我赶快接受手术。我一个外行人，不知道还有保存乳房治疗乳腺癌的方法，可她是一个医生啊，为什么不替她唯一的女儿多多考虑一番，就让那残忍的一刀切下来了呢？所以我咬牙切齿地恨她。

"我要做的第二件事是死死绑住一个男人。这个男人有家室，以前我们是情人关系，常在一起度周末，彼此愉悦。我知道这不符合毕老师您这一代人的道德标准，但对我来说是无所谓的事情。我从来没有要求他承诺什么，也不想拆散他的家庭，因为那时我还有对人生和幸福的通盘设计，和他交往不过是权宜之计。可是，如今情况大不同了，我已经失去了一只乳房，不再完整。我无法把残缺的身体展现在另外的男人面前，这个情人是见证过完整的我的最后一个男人了。我要他离婚娶我，如果他不同意，我就把他和我的关系公布于众。他是有身份好脸面的人，不敢惹翻我，我会继续逼他……

"我要做的第三件事是拼命买昂贵的首饰。只有这些金光闪闪晶莹剔透精美绝伦的小物件，才能挽留住我的脚步。我常常沉浸在死亡的想象之中，找不到生存的意义。我平均每两周就有一次自杀的冲动，唯有想到这些精美的首饰，在我死后，不知要流落到什么样的人手里，才会生出一缕对生的眷恋。项圈套住了我的性命，耳环锁起我对人间最后的温情……"

她不停地说着，漠然而坦率。我的心随之颤抖，看出了这镇定之下的苦苦挣扎。后来她又向我摊开了所有的医疗文件，她的乳腺癌并非晚期，目前所有的检查结果也都很正常。

我确信她的生命受到了严重的威胁，但这不是来自那个被病理切片证实了的生理的癌症，而是她在癌症击打之下被粉碎了的自信和尊严。癌症本身并非不治之症，癌症之后的忧郁和愤怒，无奈和恐惧，孤独和放弃，锁闭和沉沦……才是最危险的杀手。

后来她接受了多次的心理咨询，并且口服了抗抑郁的药物。在双重治疗之下，她一天天坚强起来。她不再怨怼母亲，因为不是母亲让她得了癌症。尽管也许母亲没有尽到最好的参谋作用，但身患病痛是自己的事情，不必怨天尤人。她已长大，只能独立面对命运的残酷挑战并负起英勇还击的责任，而不是像个小妞妞赖妈妈没有把自己照顾好。她意识到虽然切除了一侧乳房，但她依然是完整的女人，依然有权利昂然追求自己的幸福。哪个男人能坦然地接受她，珍惜她，这才是爱情的坚实基础。建立在要挟和控制之上的情人关系，只能是一出浩大悲剧的幕布。至于美丽的首饰嘛，她说，我想自己留下一部分，然后把一些送给朋友们：我还是很喜爱金光闪闪和玲珑剔透的小物件，但我不必把它们像铁锚一样紧紧地抓在手里，生怕一松手遗失了它们就等于丢掉了自己的生命……

疗程结束走出诊室的时候，她说，毕老师，我就不和您说再见了，因为我不想再见到您。这不等于说我不感谢您，今后的某一天，也许您的耳朵根子会突然发热，那就是我在远方深情地呼唤着您。我不见您，是相信我自己有能力对付癌症，不论是身体的癌症还是心理上的癌症，只要精神不屈，它们就会败退。

我微笑着和她道别，但愿自己永远不再见到她。但有时，会冷不丁想起这美丽的姑娘，最近还好吗？

优秀女子的择偶标准

不要忽视你身边太熟悉的人，宝藏往往就埋藏在你周围。这种忽略眼前、好高骛远的人，基本上也是忽略自我的人。当你看不起自己的时候，你也看不起周围的人。

很多女子抱怨自己找不到合适的伴侣，她们期望着优秀，不断地磨砺着自己的优秀。优秀的女子都希望找到的男子比自己更优秀，殊不知在这场觅宝的过程中，等待并不是最好的策略。你在寻寻觅觅，很多眼疾手快的女子已经把青青的果子摘下来，放在自己的篮子里，等待成熟。

一个女子要找到一个男子，如同一个螺栓要找到一个螺帽。这个比喻虽然没有"肋骨"那样血肉相连，倒是更符合工业社会的氛围。

我觉得大龄女子们常常忽略了一个基本事实。我这样说，并不是嘲笑她们的智商，而是有好几次我把这个道理讲给她们听的时候，她们脸上的惊奇之色，让我很是心疼。所以，我就不厌其烦地在这里再讲一遍，你如早已知晓，就跳过去好了。

齐眉三十岁了，真是一个好姑娘。那张脸精致得无可挑剔，只是眼角已经有了极细小的皱纹。她是社会学的硕士，在一家很好的单位任职。她说，我就想不通，那些条件好的男士，怎么就匆匆忙忙地把自己处理掉了，而不等等我们呢？

我说，齐眉，你是哪一年生人？

她说，毕老师，现在是 2008 年，我三十岁了，您可以算出我是哪一年出生的。

我说，还是你自己告诉我吧。

齐眉小声说，1978 年。

我说，你要找的男子大约是多大年纪呢？

她说，年龄不能太大吧？最多比我大五岁。

我说，能不能选择年龄比你小一点儿的男生呢？

她思忖了一下说，最多只能小两岁。

我说，好了，我们对男子年龄的要求已经算出来了，他们大概是 1973 年到 1980 年出生的男子。

我又说，你对他们的身高有没有要求？

齐眉说，当然有要求了。我身高一米七，他总不能比我矮吧？还要算上高跟鞋的高度，我就算不穿那种鞋跟特别高的，三厘米的高度总是要有的。夏天，我还喜欢戴美丽的帽子，这样，他起码一米八以上。

我说，好的，我都记录在案了。学历呢？

齐眉笑起来说，这还用问吗？我都硕士了，他最低要和我一样，最好是博士、博士后什么的。

我说，还有吗？

齐眉说，当然有了。他得是城里人，不得有一大帮子乡下的穷亲戚，那样我们家不得开旅馆啊！父母得是知识分子，最好是教授。不要官员，官员一退下来就什么都不是了。他得有房子，起码要三室一厅，不然将来有了孩子，还要雇保姆，都在哪里住呢？这要先考虑周

全。要有车,虽然不需要是宝马、奔驰什么的,但夏利和捷达肯定不成,本田和凯美瑞差不多。爱好体育,不能有啤酒肚、罗圈腿什么的,平足最好也没有……五官要端正,人品要好,不吸烟、不喝酒、不打麻将……收入嘛,年薪在十万元以上……

齐眉意犹未尽,还想补充点什么。我赶紧说,咱们暂且打住,你看我现在把对方描画一番,你听听看是否全面。

该男子年龄在二十八到三十五岁之间,身高一米八,书香门第,硕士以上的学历,家是城市的,有房有车,品行好,相貌好,收入好,工作好,没有不良习气,忠于老婆——

齐眉笑起来说,我可没说要忠于老婆。

我说,那么你愿意找一个不忠诚的男子啦?

齐眉说,我没说,不等于我没有要求,我觉得忠诚是不言而喻的。

我说,这样的男子好不好?

齐眉说,当然好了,这是我多年以来制定下的标准,无懈可击。

我说,你按照这个标准寻寻觅觅,直到现在还是单身,看来是没有找到。

齐眉说,找到了一个。

我说,那为什么不赶紧抓住他,把自己嫁出去?

齐眉深叹了一口气说,我找到他的时候,他已经是别人的老公了,我不能做那种没有道德的事情。况且,我真的向他示爱,他也许不会接受我。因为这样的人,对自己的家庭是很有责任感的。

我说,齐眉,咱们现在已经逼近了结论。你觉得这样的男子好,我也觉得这样的男子好,但这样的男子在人群中的比例是十分稀少的。也就是说,你要求的是一个小概率的事件。中国男子的平均身高是一米六九点七,中国这些年来培养出的硕士、博士以上人才,总共一百万人,只占全部人口的百分之一以下,这其中还包括女性。你所要求的身高、学历两项,就把很多人删去了。然后还有城市户口,有房有车,年薪、家庭背景等条件,说句悲观的话,我觉得一千个未婚男子当中都难得挑出一个。这个概率太低了。

而且,你要注意,这是不能增产的。因为那些螺帽不是现在制造出来的,是早在二十八到三十五年以前就出厂了,没有办法增加配给,你只有在这个框架中挑选。你刚才说的那个例子就很典型,好不容易碰上了一个,结果早就成家立业成了人夫,你没法插足。

说句实在话,在恋爱心理方面,男子和女子是不相同的。男子其实并不一定要找个有地位、有学历、收入高的女子为妻,他们可能更看重的是女子的温柔体贴、贤惠和顺,对自恃条件优越而颐指气使的女生,未必就趋之若鹜、曲意逢迎、百折不挠、再接再厉、生命不息追求不止。

说句不客气的话,你知道这样的男生条件好,别人也知道。这不是一个秘密,不可能藏着掖着,而是公开摆在那里,路人皆知。那些想借着婚姻这"第二次出生"来改变自己命运的女子,在这个世上大有人在。她们更具有敏锐的嗅觉和求生的本能,能更全面地具备生存的智慧,她们往往谋略更早,出手更快,更会审时度势,发现那些潜在的绩优股,更不消说齐眉你所要求的这种显而易见的卓越分子了。

试想一下,如果早市上有一把更青翠、更水灵、更茁壮的芥菜,是不是那些早起的主妇会抢先把它拣到篮子里呢?这就是婚姻的法则,你已经失去了先机,现在,要在新的形势下制订新的策略。

齐眉有点慌了,说,我不愿委屈自己。

我说,这不是委屈自己,只是适当地调整而已。

齐眉说,我想不到自己的标准中哪一点可以调整。

我说,我看最可以调整的就是男子的身高。

齐眉说,我觉得这一点最不可商量。

我说,为什么呢?

齐眉摇头叹气道,身高这个东西,没有一时一刻能逃得掉,只要你一睁眼,就看得到。一个矮个子的人,总在你面前晃啊晃的,叫人多闹心啊!拿不出手啊!

我说,这就是你的心理感受了。世界上有很多身高矮小的男人,都做出了很大的成就,这些我就不多说了。我想问你的是,你知道女子选择配偶,为什么首选高大的男子吗?

齐眉说,赏心悦目啊!

我说,这肯定是原因之一,但不是最重要的原因。况且,就连这一条,也是长久以来的文化所形成的,世界上并没有什么规定说人越高大越好。

齐眉说,这我可就有点不明白了。您告诉我,也许有助于我早早嫁出去。

我说,人们为什么喜爱高大的男子,这要从人类的进化谈起。在远古的时候,条件非常艰苦,几乎没有工具。人们在狩猎和保卫营地的时候,当然是高大的男子比较占优势,他们有更多存活下来的机会。就是受到野兽的攻击,倚仗着身高腿长,奔跑起来速度更快,这样就能有更多的机会逃脱。作为繁衍后代的女子,为了自身的安全和后代的保障,当然是找这样的伴侣比较保险了。人们就把这样的观念一代代地传了下来,现在的女孩子们就被动地接受了这个潜规则,并

不去想想它有多少合理性。

齐眉若有所思,说,古代人的智慧到今天难道过时了吗?

我说,时过境迁。即使是在古代,要想得到最大的安全,也不是光凭着体力的优越就可以存活下来的,还要靠脑子灵活、身手矫健,这是毫无疑问的。证据之一就是,那些矮小的男子,并没有被这种残酷的生存法则淘汰光了,他们依然生机勃勃地存在着,而且这种动脑的优势越来越明显。到了现代,摆脱科学技术的帮忙,纯粹运用体力就可以得到最大收益的行当,是越来越少了。反之,需要动脑筋拼智商的事业是越来越多了。比如使用计算机,你很难说一个一米八的大汉就一定会比一个一米六的小个子操纵得更熟练。比如拿出一个最好的创意和设计方案,基本上也和该男子的身高没有关系……也就是说,现代社会让身高这个因素逐渐淡化了……

您说得有道理,可是不全面。要知道,身高不是淡化了,是更强化了。如果我告诉别人,我我的男朋友身高还没有我高,那我还不得被人笑话死了?!齐眉反驳我。

我从这反驳中听出了曙光,齐眉已经在认真地考虑这个建议了。

我说,你估计得不错。现代传媒的力量很大,他们总是把一些身材高大的男子汉展现在银幕中,逼人仰视。这是影视附和人们潜意识的结果,反过来它又把这种潜意识变成了触手可及、活灵活现的屏幕真实。作为一个现代人,要有火眼金睛,识别这种种光怪陆离底下的真相,然后从容地按照自己的心愿行事。

齐眉半晌不语,然后说,我明白了,试试看吧。

我说,好啊,你的名字很好,预祝你找到另一半,让那个成语找到另一半——举案齐眉。

再婚的女人

她是一个再婚的女人,穿着华丽得体,脸上浮动着礼仪性的微笑。看到我,她说,我现在十分幸福。

我们是在一个短暂的会议上结识的,吃饭时,正巧坐到一起。得知了我的职业,她说,晚上我也许会找您聊天。

此刻她来了,在沙发上很端正地坐下,裹着裙子的双膝,有教养地并拢后微微斜倚着,双手交叉抱在胸前,恰到好处地微笑。饭店千篇一律的落地灯,透过冷白的纱罩,从她的侧后上方轻柔地打下来,勾画出她脸庞优雅的轮廓和细致的皱纹。

我真的很幸福。重复地说过这句话之后,她松开手臂,从钱夹中拿出一张全家福的照片给我看,一个大男孩和一个小女孩拉着手,一位中年男子,很踌躇满志的样子。她本人,仰望云彩微笑。背景是某游乐园巨大的摩天轮,悬挂着的每一间彩色小屋,都紧紧地关着门,像无尽的删节号,在蓝天滑行。

我看了看,依旧什么也没说。

怎么,您不相信我幸福吗?她的声音好像有些气恼了,但笑容仍在。

我依旧沉默。从她进屋这短暂的时间,我不断听到"幸福"这个字眼,以至于让我高度怀疑它的真实性了。真正幸福的人,是不会半夜三更地到一个陌生人的房间来倾诉的。当某人反复描述某种情境的时候,多半是他自己对此产生了怀疑。

我稍作解释:幸福不幸福,通常只是当事人内在的感觉,没有统一的标准,也无须别人的肯定。所以,我很难说什么……

之后又是长久的沉寂。也许是我的无言,更激起了她的讲述欲望:

我是一个离了婚的女人。不是我想离,实在是没办法过下去了。他发了财搞第三者不说,还在外面和那女人租了房子。刚开始是每天半夜里才回来,我不说什么,总想用自己的温柔来感动他。没想到他顽石心肠,一点也不悔改。夜不归宿从每周一天,发展到三天四天,后来,干脆住到那里,公开成了一家子,倒把自己真正的家,当成了大车店。那些年,我天天以泪洗面,可我挺坚强的,真的,和谁都不说。我这人自小就要强,不能让旁人看我的笑话。小学中学同学聚会,我全都打扮得漂漂亮亮去,一次也不落,叫谁也看不出我不快活。可我不能跟他们深谈,从小就待在一块儿,都是知根知底的人,话一多了,非露馅儿不成。倘若女友只要问一句,你怎么那么瘦啊?我的眼泪就止不住了……

在那种见不得人的日子里,我忍啊忍的,总想,人心都是肉长的,终有一天,负心的男人,会认清这世上谁是真正的贤妻。一回,他破天荒地早回来了,我还没来得及给个笑脸,他说,你不是天天夸自己多么贤惠吗,今儿考验考验你。那边停电了,洗衣机没法使了,换下的衣服都臭了,你马上给洗出来吧。她可比你讲究,洗净点,晾干了,得熨平……我当时什么话都说不出来,就是你娶了两个老婆,我也算大的,怎么能反过来伺候你们这对狗男女!我把一包脏内衣,兜头兜脑地甩到他身上,转身上了法院。

离了婚,前夫不要孩子,抚养费给得也很少。我发了狠,一定要让女儿过上公主般的生活,让那个男人看一看,没有他,我们活得更有滋有味。话说起来容易,但对一个白发悄然上头的女人来说,钱哪里是容易挣的?后来,我找到了一家卖玩具的公司,那儿是提成制,你卖得多,就能挣得多。人家一看我这么大岁数了,说,卖玩具可是年轻人的事业,得欢蹦乱跳的,自己整个是一大玩家,孩子们才会乐意买。您啊,还是去卖个纺织品什么的,兴许还有点收益。他们说的在理,可卖衣料赚得太有限,我得养活孩子啊,就硬着头皮卖起了玩具。

一说玩具,您可能就想起积木、空竹什么的,那些太古老了。现在都是高科技的东西,一部动画片放出来,紧跟着上市的玩具,都是那里头有名有姓的玩偶,狂风似的迷倒了无数孩子。干这种行当,弄好了是暴利,只不过一般人不大知道内情。销玩具的季节性很强,春节前大热卖,再有就是每年暑假,刨去这两个旺季,就很淡净。孩子们学习紧,考了期中考期末,谁还尽给孩子们买玩具啊。此行中的老手,都跟北方农民似的,干半年闲半年,忙时忙死,闲时骨头生锈。他们干得长了,都有自己的据点,也就是老客户,像一张绳床,织得密密麻麻。我一个青春不再的女人,哪里插得进去?所以,我刚入行时,收入很可怜。我想,这么下去,我们娘儿俩离饿死也不远了,我得改换策略。抢别人行的事,我不能干,我没那个本事,能把别人的老关系抢过来。退一万步讲,即便成,我也下不了那个手,叫人戳脊梁的事,咱不能干。

后来,淡季来了,大伙都闲着。我想,为什么不能试试呢?生孩子是不分淡季旺季的,每年每一天,都会有孩子过生日。现今的孩子是小皇帝,七大姑八大姨的,都赶来凑热闹。送豪华玩具,是个风光事。我上了年纪,要是直接和买玩具的孩子打交道,肯定不如那些和孩子年龄接近的大娃娃们占优势,但我要是和成年人交往,以一个妈妈的身份出现,那些想给孩子买玩具的亲属们,就容易相信我。这个路数定下来,我就不辞劳苦地跑商场推销。我长的模样不像个商人,是个缺陷其实也是个长处,更容易让别人少戒心,乐意买我推荐的货色,把我看成是一个爱孩子的妈妈……

刚开始,口干舌燥啊,说得我都腻烦听见自己的声音了。我把玩具操纵得比任何一个调皮的孩子都更出彩,简直成了一个大顽童。我的业绩开始缓缓上升,有点像盐碱地的果树,刚栽下的时候,半死不活的,真不敢寄什么希望,但慢慢地它扎下根来了,一天比一天有起色,开始挂果子了……

我轻轻摆了摆手,她是个很敏感的女人,立刻把说了半截儿的话含住了。

我说,我很理解你的努力和艰辛。但是,我们的时间有限,我想你到这里来,恐怕最主要的不是讲你怎么成了好玩具商,我更关心的是你的痛楚。

她的脸一下子变了颜色和形状,瓜子脸痉挛,青色透过脂粉渗出来,颤抖着说,我苦,您怎么看出来的?

我说,是猜。

她紧咬嘴唇,好像有些东西要自动跳出来,她在做最后抵抗。

我依旧什么也不说,等着她。

过了好半天,她说,好吧,我都告诉您。我干吗上这儿来?不就是要找个人,把心底的黄连水倒倒吗?要不,我会被自己的过去呛死了。她的语句快而微微颤抖。

后来,我有钱了。挺多,够我们娘儿俩过日子的。我想找个丈夫了。以前我没钱的时候,不敢找,怕自己条件太差,找不到好的,让女儿也跟着受委屈。现在,有条件了,我也能挑挑别人了。挑了多少人,才挑中了我现在的丈夫。他也是被人抛弃的,我想吃过亏的人,应该更懂得珍惜。他带着一个男孩,他前妻也是不要孩子的。他没钱,日子像我以前那么苦。总而言之,我俩有那么多相像的地方,同病相怜啊。一见面,我就喜欢上他了。我说,我会给孩子当好后妈的,跟对我的孩子一样好。有我们娘儿俩吃的,就有你们爷儿俩吃的。

婚礼我是竭尽所能地办,声势浩大。我把能请的同学都请来了,让他们亲眼看到我的富贵和快乐,并且证明我不是一个贪图财势的女子,我一心追寻的是我的幸福,被人抛弃一次,并没有什么了不起的,我又站起来了。

婚后不久,女儿就对我说,她不喜欢哥哥。她挺乖的,早就改口叫爸叫哥了。我想她一个人待独了,有个适应的过程。我对男孩格外好,因为不想叫人说我这个后妈偏心。他在学校闹事,我去挨老师的训斥,代他检讨,交罚款。后来他和小流氓打架,把人家的一只眼弄瞎了,人家要把他送去劳教。我吓坏了,心想,没和这家结亲以前,这孩子还没这样,现在出了事,传出去,我还有什么脸啊!于是,我拿出自己积蓄的一半,帮他把这件事摆平了。原来后夫不知道我有多少钱,从这事以后,他就倚在我身上,啥也不想干了。我跟他说,我的钱没多少了,咱一家四口,要是光花不干,支撑不了多少时间。他不信,说我为了一个不是自己的孩子,都能一下子出那么多钱,不定潜伏着多大的油水呢。

这些我都忍了,心想将就着过吧。我不能再离婚了,离过婚的女人输不起了。你第一次错了,人家还会同情你,你再次错了,人家只有嘲笑你。所有的朋友都以为我过得很好,我无法把真相说出。

后来,我发现原本跟我无话不谈的女儿,话越来越少,简直就成了哑巴。我问什么她都不说,我知道她恨我把两人之家变成了四人之家。可她就不想想,一个孩子没有爸爸,人家会怎么看?现在,起码这个家表面上是完整的。至于别的事,自己不说,谁也不知道。

我就生活在这样的幻想中,直到有一天,在沙发上发现了血迹。我家养了一只猫,我以为是谁叫猫抓了,就嚷嚷起来。那要是得了狂犬病可不得了,赶快到防疫站打针吧!当时只有两个孩子在家,我女儿脸色惨白,但还是什么也不说。那个男孩就跪下了,说他把妹妹给强暴了……

我的如花似玉的女儿啊!那一刻,山崩地裂啊。

我以为我会昏过去,可惜我没有。我想这事怎么办呢?我要去告官。后夫知道了,也给我跪下了,说你要是告了,有什么好的?我丢人,我儿子丢人,可你女儿也丢人,你更丢人……你们丢的人更丑更大更多!

那个旺季,我一分钱的玩具也没卖出去,大家都说我是叫幸福泡软了,连活计也不想干了。只有我自己知道,那是怎样的苦海。面对大伙的玩笑,我更是说不出一句真话。后夫说的也许有理,一切都已是生米熟饭,你告了,什么也不会改变,得到的只是耻笑。还不如自己憋着,好歹在外面还有一份面子,所以……

所以,你就怀揣着全家福的照片,不停地给人看,不停地重复"我很幸福"这样的谎言!我说,心因为怜悯和愤怒而撕裂。她不是我遇到的最悲惨的女人,但却是最自欺欺人的懦弱者。

可不这样,我有什么法子?离过婚的女人输不起啊……她闭上眼睛,有一颗很大的泪珠从一只眼流下来,另一只的眼角始终干燥。我该怎么办啊?!她发出母狼一样的哀号。

我说,离过婚的女人,可以再离婚。跌倒了的女人,可以原地爬起来。女儿是受害者,丢人的绝不是你们。人为什么要生活在自己编织的谎言中?你口口声声说最爱自己的女儿,可你辜负了她的信任。你是她的保护人,你没有尽到自己的职责!你纵容了犯罪,你懦弱,你无能,你生活在一个残酷的谎言中,你也在对女儿犯罪……

她终于收起了自己的笑容,放声痛哭,泪如雨下。

我所能做的唯一的事,就是不停地给她递纸巾。满地的白纸团触目惊心地滚动着,好像此处降下特大的冰雹。

许久许久,她终于停止了哭泣。我看到一种力量的光芒,闪烁在她因为哭泣而变得真实的脸颊上。

现在,我最该干的是什么?她有些不知所措地看着我。

我说,以你在商场上的征战,我相信你是一个有勇气有智慧的女子,你是一定知道自己该干什么的。

她若有所思,然后喃喃地说,我知道我第一件事该干什么了。

她把那张全家福抽出来,撕得粉碎。指甲因为过度用力,边缘变得毫无血色。相纸裂解成只有玉米粒大小的碎屑,她到卫生间,放水把全家福的尸骸冲走了。

我不幸福,但是我有勇气面对它。临走的时候,她说。

柳枝骨折

当医学生的时候,一天,教授拿着一枝新柳走进教室。它嫩绿的枝管上,萌着鹅黄的叶蕾,大梦初醒的样子。我们正不知一向严谨的先生预备干什么,教授啪地折断了柳枝。绿茸茸的顶端顿时萎下来,唯有青皮褴褛地牵拉着,汁液溅出满堂苦苦的气息。教授说,今天我们讲骨骼。医学上有一个重要的名称,叫作"柳枝骨折",说的是此刻骨虽断,却还和整体有着千丝万缕的联系。我们的职责,就是把这样的断骨接起来,它需要格外的冷静,格外的耐心……

一次,到了大兴安岭,老猎人告诉我,如果迷了路,沿着柳树,就能走出深山。

我问为什么。老猎人说,春天柳树最先绿,秋天它最后黄。柳树成行的地方必有活水,水往山外流,所以,你跟着它,就会找回家。

心中一动,记下了柳树如家。

一位女友向我哭诉她的家庭,说希冀的是家的纯洁,家的祥和。可怕的是最近这一切都濒临破碎,虽是藕断丝连,但她想手起刀落……

我知她家虽已摇摇欲坠,并非恩断义绝,就和她讲起了柳枝骨折。既然一株植物都可凭着生命的本能,愈合惨痛的伤口,在原处发出新的枝叶,我们也可更顽强更耐心地尝试修复。

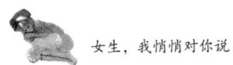

女友迟疑说，现代的东西，不破都要扔，筷子全变成一次性的……何况当初海誓山盟如今千疮百孔的家！

我说，家是有生命的精灵。正因为家是活的，所以，会得病也会康复。既然高超的仪器会失灵，凌飞的火箭会爆炸，精密的计算机会染病毒，蔚蓝的天空也会厄尔尼诺，婚姻当然也可骨折。

我们是自己家庭的制造者，我们是自己家庭的保健医。每一个家庭，都是男女用感情和双手缔造，那张家庭的保修单，当然也由双方郑重签发。家是一张木制的椅子，要常常油饰修理。阴雨连绵的季节，要搬它晒太阳，不要生出点点霉雾。秋天的时候，要在田野留步，感受清风的抚摸，忆起春天的期望。

修补家庭是双方的事情，万万不可一方包办。疗治骨折要干净彻底地清洗创面，绝不可留下化脓的细菌。焊接两块钢板，要将那对接的毛边，打去陈锈，露出洁净的茬口，才能在烈焰下重新熔合。如果没有痛切的割舍磨打，哪怕只是黏合一块鞋跟，也会在几步之后再次脱落……退让妥协绝不是修补，那是藏污纳垢苟延残喘，那是委曲求全自取其辱，等待我们的只会是更大的苦痛。

修补是比丢弃更烦琐的工程，修补是比丢弃更艰苦的跋涉，修补是比丢弃更费时费心的历练，修补是比丢弃更精妙的技艺。

女友听了我的话，半信半疑道，裂了口子连缀起来的家，就像早年间乡下锔过的碗，还会结实吗？

我说，当年我们也曾问过教授，柳枝骨折长好后，当再次遭受重大压力和撞击的时候，会不会在原位爆开？

教授微笑着回答，樵夫上山砍柴，都知道斧刃最难劈入的树瘤，恰是当年树木折断后愈合的地方。

第四辑

女人什么时候开始享受

这个世界上一定有匪夷所思的奇迹,但更多的是持之以恒的努力和珍珠一样的汗水,脚踏实地、日复一日地在土地上耕耘。

我的五样

老师出了题目——写下"你生命中最宝贵的五样东西",我拿着笔,面对一张白纸,周围一片静寂。万物好似缩微成超市货架上的物品,平铺直叙摆在那里,等待你的挑选。货筐是那样小而致密,世上的林林总总,只有五样可以塞入。

也许是当过医生的缘故,片刻的掂酌之后,我本能地挥笔写下:空气、水、阳光……

这当然是不错的。你不可能设想在一个没有空气和水的星球上,滋长出如此斑斓多彩的生命。但我很快发现自己陷入了困境——如果继续按照医学的逻辑推下去,马上就该写下心脏和气管,它们对于生命之泵也是绝不可缺的零件。结果呢,我的小筐子立马就装满了,五项指标额度用尽。想想那答案的雏形将是:我生命中最宝贵的东西——空气、水、阳光、气管、心脏……哈!充满了科普意味。

如此写下去,恐有弊病。测验的功能,是辅导我们分辨出什么是自我生命中最重要的因子,以至面临人生的重大选择和丧失时,会比较的镇定从容,妥帖地排出轻重缓急。而我的答案,抽象粗放,大而化之,缺乏甄别和实用性。

改弦易辙。我决定在水、空气和阳光三要素之后,写下对我个人

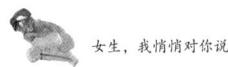

更为独特和生死攸关的因子。

于是，第四样——鲜花。

真有些不好意思啊，挂着露滴的鲜花，那样娇弱纤巧，似乎和庄严的题目开了一个玩笑。但我真是如此挚爱它们，觉得它们美妙无比，不可或缺。绚烂的有刺的鲜花，象征着生活的美好和无可回避的艰难，愿有一束火红的玫瑰，伴我到天涯。

写下鲜花之后，仅剩一样挑选的余地了。刹那间，无数声音充斥耳鼓，啰唣地申述着自己的不可替代性，想在最后一分钟，挤进我珍贵的小筐。

偷着觑了一眼同学们的答案，不禁有些惶然。

有人写下"父母"。我顿觉自己的不孝。是啊，对于我的生命来说，父母难道不是极为宝贵的因素吗？且不说没有他们哪来的我，单是一想到他们会先我而去，等待我的是生离死别，永无相见，心就极快地冰冷成坨。

有人写下"孩子"。我惴惴不安，甚至觉得自己负罪在身。那个幼小的生命，与我血脉相连，我怎能在关键的时刻将他遗漏？

有人写下"爱人"。我便更惭愧了。说真的，在刚才的抉择过程中，几乎将他忘了。或许因为潜意识里，认为在未曾识得他之前，我的生命就已存许久。我们也曾有约，无论谁先走，剩下的那人都要一如既往地好好活着。既然当初不是同月同日生，将来也难得同月同日死，彼此已商定不是生命的必需，未进提名，也有几分理由吧？

正不知将手中的孤球抛向何处，老师一句话救了我。她说，这生命中最宝贵的东西，不必从逻辑上思索推敲是否成立，只需是你情感上的真爱即可。

凝神再想。

略一顿挫之后，拟写"电脑"。因为基本上已不用笔写作，电脑便成了我密不可分的工作伴侣。落笔之际我凝思，电脑在此处，并不只是单纯的工具，当是一种象征，代表我挚爱的劳动和神圣的职责。很快又联想到电脑所受制约较多，比如停电或是病毒入侵，都会让我无所依傍。唯有朴素的笔，虽原始简陋，却可朝夕相伴风雨兼程。

于是洁白的纸上，记下了我生命中最宝贵的五样东西——水、阳光、空气、鲜花和笔（未按笔画为序，排名不分先后）。

同学们嘻嘻笑着，彼此交换答案。看过之后，却都不作声了。我吃惊地发现，每人的物件，万千气象，绝不雷同，有些简直让人瞠目结舌。比如某男士的"足球"，某女士的"巧克力"，在我就大不以为然。但老师再三提示，不要以自己的观点去衡量他人，于是不露声色。

接下来，老师说，好吧，每个人在你写下的五样当中，划去相对不那么重要的一样，只剩下四样。

权衡之后，我在五样中的"鲜花"一栏旁边打了一个小小的"×"号，表示在无奈的选择当中，将最先放弃清丽芬芳的它。

老师走过来看到了，说，不能只是在一旁做个小记号，放弃就意味着彻底的割舍，你必得用笔把它全部涂掉。

依法办了，将笔尖重重刺下。当鲜花被墨笔腰斩的那一刻，顿觉四周惨失颜色，犹如20世纪初叶的黑白默片。我拢拢头发咬咬牙，对自己说，与剩下的四样相比，带有奢侈和浪漫情调的鲜花，在重要性上毕竟逊了一筹，舍就舍了吧。虽然花香不再，所幸生命大致完整。

请将剩下的四类当中,再剔去一种,仅剩三样。老师的声音很平和,却带有一种不容商榷的断然压力。

我面对自己的纸,犯了难。阳光、水、空气和笔……删掉哪样是好,思忖片刻,提笔把"水"划去了。从医学知识上讲,没有了空气,人只能苟延残喘几分钟,没有了水,在若干小时内尚可坚持,两害相权取其轻吧。

也许女人真是水做的骨肉,"水"一被勾销,立觉喉咙苦涩,舌头肿痛,心也随之焦躁成灰,人好似成了金字塔里风干的法老。

我已经约略猜到了老师的程序,便有隐隐的痛楚弥漫开来。不断丧失的恐惧,化作乌云大兵压境。痛苦的抉择似一条苦难巷道,弯弯曲曲伸向远方。

果然,老师说,继续划去一样,只剩两样。

这时教室内变得很寂静,好似荒凉的冢,每个人都在冥思苦想举棋不定。我已顾不得探查他人的答案,面对着自己人生的白纸,愁肠百结。

笔、阳光、空气……何去何从?

闭起眼睛一跺脚,我把"空气"划去了。

刹那间好像有一双阴冷的鹰爪,丝丝入扣地扼住我的咽喉,手指发麻眼冒金星,心如擂鼓气息屏窒……

我曾在海拔五千多米的冰山上攀缘绝壁,缺氧的滋味撕心裂肺。无论谁隔绝了空气,生命便飘然而逝,一切只能成为哲学意义上的讨论。

好了,现在再划去一样,只剩下最后一样。老师的音调很温和,但执着坚定充满决绝。对已是万般无奈之中的我们,此语一出,不啻惊雷。

教室内已经有轻轻的哭泣声。人啊,面临丧失,多么软弱苦楚。即使只是一种模拟,已使人肝肠寸断。

笔和阳光。它们在纸上誓不两立地注视着我,陷我于深重的两难。

留下阳光吧——心灵深处在反复呼唤。妩媚温暖明亮洁净,天地一派光明。玫瑰花会重新开放,空气和水将濡养而出,百禽鸣唱,欢歌笑语。曾经失去的一切,都会在不知不觉当中悄然归来。纵使除了阳光什么也没有,也可以在沙滩上直直地卧晒太阳呀。

想到这里,心的每一个犄角,都金光灿灿起来。

只是,我在哪里,在干什么?

我看到自己孤独的身影,在海边寂寞的椰子树下拉长缩短,百无聊赖。孤独地看日出日落,听潮涨潮消。

那生命的存在,于我还有怎样的意义?!我执着地扬起头来问天。

天无语。

自问至此,水落石出。我慢而稳定地拿起笔,将纸上的"阳光"划掉了。

偌大一张纸,在反复勾勒的斑驳墨迹中,只残存下来一个固守的字——"笔"。

这种充满痛苦和抉择的测验,像一个渐渐缩窄的闸孔,将激越的水流凝聚成最后的能量,冲刷着我们纷繁的取向。当那通道变得一夫当关、万夫莫开之时,生命的重中之重,就简洁而挺拔地凸立了。

感谢这一过程,让我清晰地得知什么是我生命中的真爱——就

是我手中的这支笔啊。它噗噗跳动着，击打着我的掌心，犹如我的另一颗心脏，推动我的一腔热血涌向四肢百骸。

突然发现周围万籁无声，人们在清醒地选择之后，明白了自己意志的支点，便像婴儿一般，单纯而明朗地宁静了。

我细心地收起这张白纸，一如珍藏一张既定的船票。知道了航向和终点，剩下的就是帆起桨落战胜风暴的努力了。

逃避苦难

我曾经穿行于世界上最高的峰峦与旷野,山给予我太多的苦难。那个时候我十七岁,当现在的女孩娇嗔地把这个年龄称为"花季"的时候,我正在昆仑山上度着永远的冬季。

在最冷的日子里,我们去爬很多皑皑的雪山。我背着枪支、弹药、十字镐、雨布、干粮、大头鞋、皮大衣,还有背包,加起来六七十斤。

第一天行进的路程,只是爬一座山,那座山悬挂在遥远的天际,像一匹白马的标本。

还没有走到山脚下,我就一步也迈不动了。宿营地在山的那边,遥远得如同我已死去了的曾祖父母,我完全不知道自己将怎样走过这漫长的征途。

缺氧使我憋闷得直想撕裂胸膛,把自己的心像一穗玉米那样扒出,晾晒在高原冰冷的阳光中。

生命给予我的全部功能,都成了感受痛苦的容器。我的眼珠被冰雪冻住了,雪花六角形的芒刺,牢固地粘在眼皮上,绝不融化,眼睛便像两只雪刺猬。呼呼的风声将耳膜压得像弓弦一样紧张,根本听不到除此以外任何声响。关节腔里所有的滑液都被冻住了,每走一步都感觉到冰碴粗糙的摩擦。手指全然失掉知觉，腕以下是光秃秃的空白……

时至夜半，我仍未走出那座山，我慢慢地、慢慢地倒向昆仑山万古不化的寒冰。我不走了，一步也不想走了，走比死亡可怕得多。枕着冰雪，仰望高海拔处才能见到的宝蓝色天空，我愿意永不复生。

参谋长几乎是用枪，逼迫我站起来重新走。

从此，我惧怕爬山，仅次于死亡。

惧怕爬山，实际上是惧怕苦难。山——这些地球表面疙里疙瘩的赘物，驱使我们抵抗地心强大的引力，以自身微薄的力量，把自己的体重举起来。当我们悬浮在距海平面很高的山峦上，以为自己很高大，其实我们不过是山的玩偶。

苦难是对人的肉体和心灵的酷刑。那些叫嚷热爱苦难的人，我总怀疑他们未曾经历过刻骨铭心的苦难。或者曾将苦难与苦难换取来的荣誉，同时置于跷跷板的两头，他们发现荣誉的头发高高地飘扬在半空，遮蔽了苦难黝黑的面庞。

他们觉得：值。

苦难是对人的信念最残酷的锤打。当你饥肠辘辘，当你衣不遮体，当你的尊严被践踏于泥泞之中，当你纯洁的期冀被苦难蛀虫蚀得千疮百孔之时，你对整个人类光明的企盼，极有可能在这黑海洋中颠覆。命运之舟破碎了，只剩几块板状的残骸。即使逃脱困厄的风口，理想也受到致命的一击。再要抬起翅膀，需要积蓄永恒的力量……

经受苦难而不萎靡，不沦落，不摇尾乞怜，不柔若无骨，不娼不盗，不偷不抢，不失魂落魄，不死去活来，是天才是领袖是超人，非平常人可比。

然而历史是平常人创造的。

幸亏人类害怕苦难，人类才得以不断进步不断发达不断繁荣。假如人类什么都不怕，什么都满足，至今还穴居山顶、茹毛饮血、火种刀耕。

最稚嫩最敏感的部位，最怕疼，例如我们的手指尖。粗糙它，磨砺它，指肚便会结出厚厚的茧子，这是一种悲哀的退化。

手指结茧可以消退，心灵的蛹若被苦难之丝包绕，善与美的蛾儿便难以飞出，多数窒息于黑暗之中。

当然，当苦难像飓风一样无以回避地迎面扑来时，我也会勇敢地迎上去，任沙砾打得遍体鳞伤，任头发像一面黑色的旗帜高高飘扬……

为了逃避苦难，我一生奋斗不息。

苦难也像幸福一样，分有许多层次，好像一条漫长的台阶。苦难宫殿里的至尊之王，是心灵的痛楚。

没有血迹，没有伤痕，假如心灵被洞穿，那伤口永世新鲜。

我相信在人类的心灵国度里，通行痛苦守恒定律。无论怎样的皇亲国戚，无论怎样的花团锦绣，无论怎样的二八佳丽，无论怎样的鹤发童颜，都有潜藏的伤口，淌着透明的血。

逃避了食不果腹、衣不蔽体的小苦难，便滋生出建功立业壮志未酬的大痛苦，待功成名就踌躇满志之时，又生出孤独寂寞高处不胜寒的凄凉……人类只要存在感觉，苦难便像影子永远伴随。成功地逃避一次又一次苦难，人类就在进化的阶梯上匍匐向前了。

女人什么时候开始享受

当我们为自己的母亲,为自己的姐妹,为我们自己,问这个问题的时候,我们先要说明什么是女人的享受?

我们所说的享受,只不过是在厨房里,单独为自己做一样爱吃的菜。在商场里,专门为自己买一件心爱的礼物。在公园里,和儿时的好朋友无拘无束地聊聊天,不用频频地看表,顾及家人的晚饭和晾出去还未收回的衣衫。在剧院里,看一出自己喜欢的喜剧或电影,不必惦念任何人的阴晴冷暖……

我们说的女人的享受,只是那些属于正常人的最基本的生活乐趣,只因无数的女人已经在劳累中将自己忘记。女人何尝不希冀享受啊?

抱着婴儿,煮着牛奶,洗着衣物,女人用沾满肥皂的手抹抹头上的汗水说,现在孩子还小,等孩子长大了,我就可以好好享受享受了……

孩子渐渐地大了,要上幼儿园。女人挽着孩子,买菜做饭,还要在工作上做得出色,女人忙得昏天黑地,忘记了日月星辰。

不要紧,等孩子上了学就好了,松口气,就能享受了……女人们说,她们不知道皱纹已爬上脸庞。

孩子终于开始读书了,女人陷入了更大的忙碌之中——要把自己的孩子培育成一个优秀的人。女人们这样想着,陀螺似的转动在单位、家、学校、自由市场和各种各样的儿童培训班里……孩子和丈夫是庞大的银河系,女人是行星。白发似一根根银丝,从空气中悄然落下,留在女人疲倦的额头。

我什么时候才能无牵无挂地享受一下呢?在没有月亮的夜晚,女人吃力地伸展自己酸痛的筋骨,这样问自己。

哦,坚持住。就会好的,等到孩子大了,上了大学,或有了工作,一切就会好的。到那个时候,我就可以好好地享受一下了……

女人这样对自己允诺。

她就在梦中微笑了。

时间抽走女人的美貌和力量,用皱纹和迟钝充填留下的黑洞。

孩子大了,飞出鸽巢,仅剩旧日的羽毛与母亲做伴。女人叹息着,现在,她终于有时间享受一下了。

可惜她的牙齿已经松动,无法嚼碎坚果。她的眼睛已经昏花,再也分不清美丽的颜色。她的耳鼓已经朦胧,辨不明悦耳音响的差别。她的双腿已经老迈,再也登不上高耸的山峰……

出去的孩子又回来了,他带回一个更小的孩子。于是女人恍惚觉得时光倒流了,她又开始无尽地操劳……那个更幼小的孩子开始牙牙学语了,只是他叫的不是"妈妈",而是"奶奶"……

女人就这样老了,终于有一天,她再也不需要任何享受了。在最后的时光里,她想到了,在很久很久以前,她对自己有过一个许诺——在春天的日子里,扎上一条红纱巾,到野外的绿草地上,静静地晒太阳,听蚂蚁在石子上行走的声音……那真是一种享受啊。

女人说着,就永远地睡去了。

原谅我描述了这样一幅女人享受的图画,忧郁而凄凉。

因为我觉得无数的女人,在慷慨大度地向人间倾泻爱的时候,她们太不爱一个人了——那就是她们自己。

女人们,给自己留一点享受的时间和空间吧,不要一拖再拖,不要一等再等。

就从现在开始,就从今天开始。不要把盘子里所有的肉,都夹到孩子的嘴边。不要把家中所有的钱,都用来装扮房间和丈夫。不要把所有的精力,都投入工作。不要在计划节日送礼物的名单上,独独遗下自己的名字……

善良的女人们,请从这一分钟开始,享受生活。

千头万绪是多少

千头万绪这个词，有一种沸沸扬扬的夸张和缠人喉咙的窒息感，让人心境沮丧，捉襟见肘，好像一个泥潭，不留神陷进去，会被它淹了口鼻，呛得翻白眼儿，甚或丢了性命，也说不得。

现代人很常用——或者简直就是爱好用这个词，来描绘自己的生存状况。常常听到人们说自己的处境——千头万绪，要干的工作——千头万绪，待处理的事物——千头万绪，需承担的责任——千头万绪……千头万绪几乎成了一条癞皮狗，死缠烂打地咬住每位现代人的脚后跟，斥之不去。

千头万绪是一个主观的判断，一个夸张的形容。难道对一个普通人来说，世上就真有一万件事，非得你御驾亲征不可？

当我们认定自己进入了千头万绪这一局面的时候，心先就慌了，披头散发，眉毛胡子一把抓，天空也随之阴霾。因为紧迫，就慌不择路，结果是线头越搅越多，原本可以解开的结，也成了死扣。

千头万绪有一种邪恶的威慑力，恐惧和慌乱是它的左膀右臂。一旦被这几个魔头统治了心神，我们在灾难的海市蜃楼面前，往往顿失镇定和勇气。

我认识一位女友，当她说到自己的近况时，脸色晦暗，手指颤

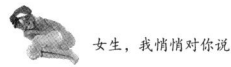

抖，嘴唇也无目的地扭曲了，显出干涸辙印中小鱼的表情。

她的确是遇到了足够的麻烦。丈夫外遇十年，儿子正逢高考，模拟考试成绩很不理想。她接手奋战了一年的科研项目，已到了关键时刻，她的高血压又犯了，整天头晕。昨天上街由于精神恍惚，被小偷割裂了书包，偷走了上千元钱。她的邻居在装修房屋，每天电钻声吵得人耳鼓爆炸……

有的时候，真想一死了之！千头万绪啊，我看不到一点光明！她这样说，狠狠捶击着自己的太阳穴。

我说，我能体会到你心中的痛楚和无奈。你想改变这一切，但感到自己绝望和孤独。我们先找到一张白纸，把你最感痛苦烦恼的事件写下来，然后我们看看，有什么办法可以逐个解决它们。

洁白的纸，铺在桌面，如同一片无瑕的雪地。左是起因，右是对策。女友提笔写下：

1.夜里睡不好觉，因为电钻太吵

我很惊讶地问她，那装修的人家，居然敢冒天下之大不韪，在夜里开动电钻？

女友愣了一下，然后说，那倒不是。楼下孀居多年的邻居要结婚了，房屋不整也实在当不了新房。那家事先已贴出了安民告示，并于晚上八点以后，不再使用电钻。

我说，那么，你睡不好觉，就另有原因，不能归于电钻了。

她对着白纸，看了半天，仿佛不认识自己写下的那一行字。然后把"电钻"云云删去了，在对策一栏里，写下——吃两片安眠药。

继续整理你的烦恼。我说。

2. 丈夫外遇十年

真是一个折磨人的大难题。我定定神问,你最近才知道吗?

她嘶哑地答,早知道了。

我说,你打算最近采取行动,彻底解决这个问题吗?

她思忖着说,时机还不成熟,无论是离婚还是敦促他痛改前非,都需要时间。

我说,那它是可以从长计议的,也就是目前采取的对策是等待。

女友点点头。

3. 昨天丢了一千块钱

我说,真倒霉啊,对你是雪上加霜,你报案了吗?

她说,报了,但是没寄什么希望。

我说,那就是说,你基本上觉得这笔损失是不可挽回的啦?

她很快地回答,是啊。

我说,不一定啊,也许你不停地愁苦下去,把自己的太阳穴敲出一个透明窟窿,小偷会良心发现,把那笔钱送回来。

她扑哧一声笑了,说,瞧你说的,那小偷根本不知道我是谁,哪怕我今天自杀了,他也不会发慈悲的。

我正色道,说得好,这笔损失,并不因你的痛楚而有复原的可能。

女友想了想,就把这一条划掉了,重写了一个"3. 孩子考不上大学"。

我陪着她深深地叹了一口气,然后问她,你是直到今天才意识到孩子上大学无望吗?

她摇摇头，说，他学习成绩一直不好，这结果其实已在意料之中。以前总幻想能出现一个奇迹，现在彻底破灭了。

我说，不符合实际的幻想破灭，你说是件好事还是坏事？

她明白了我的用意，但还是很沉重地说，面对残酷的现实，总是让人难以接受。

我说，是啊，但事实是否因你的不接受，而有改变的可能呢？

女友说，我还是希望孩子能有接受高等教育的机会啊。

我说，此次没有考上大学，并不意味着孩子永远失去了接受高等教育的机会。

她突然抓住我的手说，你的意思是还有机会？

我说，你觉着呢？我记得你就是通过自学直接考取的研究生啊。

她沉默了很长的时间，然后一字一顿地说，是啊，孩子已经十八岁了，教会他如何应付困境，也许更重要。于是她写下对策——重新来，继续下去。

4. 高血压

我说，你的血压是否已经像珠穆朗玛一样，成了世界上的第一高峰了呢？

她有些气恼了，说，我真的很痛苦，你却在这里穷开心。

我把脸上的笑容收起，说，对于病，也要有一个战略藐视战术重视的应对。我相信你的高血压并非到了药石罔效的地步，只要按时吃药，是可以控制的，你服药很可能不守医嘱。

她有些不好意思，反问，你怎么知道的？

我说，别忘了，我还是个有二十多年医龄的老大夫，你瞒不过我的火眼金睛。

女友老老实实地交代说,一忙起来,就忘了。她规规矩矩地写上对策——遵医嘱。

女友的脸色渐渐平稳,但她还是愁肠百结地写下了最后一条。

5. 科研任务紧迫

我说,关于此项艰巨的任务,你承担了一年,现在到了最后攻关阶段,你是否已对自己丧失了信心?

她很坚定地回答,没有,只是我的心情不好。你知道,对于一个搞研究的人来说,心情就是生产力啊。

我一拍她的手掌说,你讲得好!但心情纯属你精神领域的感觉,你为什么不能使自己的心情明亮起来呢?

她说,讲得轻松!不挑担子肩不疼。我这里千头万绪,哪里就亮得起来!

我含笑说,看看你的千头万绪,还剩下了多少?

那张洁白的纸上,写着:

失眠——安眠药

丈夫外遇——从长计议

丢钱——自认倒霉

儿子未考上大学——重新来

高血压——遵医嘱

科研攻关——好心情

她看了一遍又一遍,好像不相信自己的千头万绪,已细化成如此简明扼要的条款。看来,我只要今晚吃上两片安眠药,明早醒来,阳光依旧灿烂？她有些半信半疑。

我说，当所有的头绪都搅在一起的时候，的确很可怕。它们使我们的心情变得极为恶劣，智力陡然下降，判断连续失误，于是事情就进入了一个更糟糕的怪圈。把它们理清，列出对策，就可以逐一攻克了。好心情并不来源于一帆风顺，而是生长于从容和坚定的勇气中啊。

女友说，哈！我知道啦！我们每个人都有长出好心情的土地，就看你是否耕耘。

蚕是被自己的丝裹住的

蚕是被自己的丝裹住的,这是一个真理。每一个养过蚕的人和没有养过蚕的人,都知道这件事。蚕丝是一寸一寸吐出来的,在吐的时候,蚕昂着头,很快乐专注的样子。蚕并没有意识到,正是自己的努力劳动,才将自己的身体束缚得紧紧。直到被人一股脑儿地丢进开水锅里,煮死,然后那些美丽的丝,成了没有生命的嫁衣。

这是蚕的悲剧。当我们说到悲剧的时候,不由自主地持了一种观望的态度。也许,是"剧"这个词,将我们引入歧途,以为他人是演员,而我们只是包厢里遥远的安全的看客。其实,作茧自缚的情况,绝不如想象的那样罕见,它们广泛地存在于我们周围,空气中到处都飘荡着纷飞的乱丝。

钱的丝飞舞着。很多人在选择以钱为生命指标的时候,看到的是钱所带来的便利和荣耀的光环。钱是单纯的,但攫取钱的手段却不是那样单纯。把一样物品作为自己奋斗的目标,它的危险,不在于这桩物品的本身,而在于你是怎样获取它并消费它。或许可以说,收入钱的能力还比较容易掌握,支出它的能力则和人的综合素质有极大的关系。在这个意义上讲,有些人是不配享有大量的金钱的,如同一个头脑不健全的人,如果碰巧有了很大的蛮力,那么,无论是对于他本人

还是对于他人，都不是一件幸事。在一个社会财富和个人财富飞速增长的时代，钱是温柔绚丽的，钱也是飘浮迷茫的，钱的乱丝令没有能力驾驭它的人窒息，直至被它绞杀。

爱的丝也如四月的柳絮一般飞舞着，迷乱着我们的眼，雪一般覆盖着视线。这句话严格说起来，是有语病的。真正的爱，不是诱惑，是温暖，只会使我们更勇敢和智慧，但的确有很多人被爱包围着，时有狂躁，那就是爱得没有节制了。没有节制的爱，如同没有节制的水和火一样，甚至包括氧气，同是灾难性的。

水火无情，大家都是知道的。但是谈到氧气，那是一种多么好的东西啊。围棋高手下棋的时候，吸氧之后，妙招迭出，让人疑心气袋之中是否藏有古今棋谱。记得我学习医科的时候，教授讲过这样一个故事。一名新护士值班，看到衰竭的病人呼吸十分困难，用目光无声地哀求她——请把氧气瓶的流量开得大些。出于对病人的怜悯，加上新护士特有的胆大，当然，还有时值夜半，医生已然休息。几种情形叠加在一起，于是她想，对病人有好处的事，想来医生也该同意的，就在不曾请示医生的情况下，私自把氧气流量表拧大。气体通过湿化瓶，汩汩地流出，病人顿感舒服，眼中满是感激的神色，护士就放心地离开了。那夜，不巧来了其他的重病人。当护士忙完之后，拧着一头的汗水再一次巡视病房的时候，发现那位衰竭的病人，已然死亡。究其原因，关键的杀手竟是——氧气中毒。高浓度的氧气抑制了病人的呼吸中枢，让他在安然的享受中丧失了自主呼吸的能力，悄无声息地逝去了……

很可怕，是不是？丧失节制，就是如此恐怖的魔杖。它令优美变成狰狞，使怜爱演为杀机。

谈到爱的缠裹带给我们的灾难,更是俯拾即是。多少人为爱所累,沉迷其中,深受其苦。在所有的蚕丝里面,我以为爱的丝,可能是最无形而又最柔韧的一种。挣脱它,也需要最高的能力和技巧。这当中的奥秘,须每一个人细细揣摩练习。

还有工作的丝,友情的丝,陋习的丝,嗜好的丝……或松或紧地包绕着我们,令我们在习惯的窠臼当中难以自拔。

逢到这种时候,我们常常表现得很无奈很无助,甚至还有一点点敝帚自珍的狡辩。常常可以听到有人说,我也知道自己的毛病,也不是不想改,可就是改不掉,我就是这样一个人了……当他说完这些话的时候,就好像对自己和对众人都有了一个交代,然后脸上就显出安坦无辜的样子,仿佛合上了牛皮纸封面的卷宗。

每当这种时候,我在悲哀的同时,也升起怒火。你明知你的茧是你自己吐的丝凝成的,你挣扎在茧中,想突围而出。你遇到了困难,这是一种必然。但你却为自己找了种种的借口,你向你的丝退却了。你一面吃力地咬断包围你的丝,一面更汹涌地吐出你的丝,你是一个作茧自缚的高手,你比推石头的西西弗斯还惨。他的石头只是滚下又滚下,起码并没有变得更大更沉重。你的丝却在这种突围和分泌的交替中,汲取了你的气力,蚕食了你的信心,它令你变得越来越不喜爱自己,退缩着,在茧中藏得更深更严密更闭锁更干瘪了。

我们每个人都有一些茧。这些茧背负在我们的身上,吸取着我们的热量,让我们寒冷,令前进的速度受限。撕碎这茧,没有外力和机械可供支援,只有靠自己的心和爪。

茧破裂的时候,是痛苦的。茧是我们亲手营造的小世界。茧的空间虽是狭窄的,也是相对安全的。甚至一些不良的嗜好,当我们沉浸其中的时候，感受到的也是习惯成自然的熟络。打破了茧的蚕，被鲜冷的空气，闪亮的阳光，新锐的声音，陌生的场景……刺激着，扰动着，紧张的挑战接踵而来。这种时刻的不安，极易诱发退缩。但它是正常和难以避免的，是有益和富于建设性的。你会在这种变化当中，感受到生命充满爆发的张力，你知道你活着痛着并且成长着。

有很多人终身困顿在他们自己的茧里，这是他们自己的选择。当生命结束的时候，他们也许会恍然发觉，世界只是一个茧，而自己未曾真正地生活过。

坦然走过乞丐

喜欢张爱玲的一个理由,是她说自己不喜欢乞丐。凡人不敢说厌恶乞丐,特别是女性,那样显得多不善良啊。

乞丐是一个现象,它把贫穷和孱弱表面化了,瘫软地体现了出来。它把人的哀助赤裸裸地表达着,让他人在同情之后起了帮助的欲望和收获施与的喜悦。

于是乞丐就成了常说常新的话题,名著中的乞丐常常是睿智和淳厚的,平常人也有很多与乞丐有关的故事。听过一个女子讲述,她最终决定嫁给丈夫,是因为那个男人在看到乞丐的时候总是一往情深地掏钱,某次竟把请女孩吃饭的钱悉数捧出,以至于两个人只能空腹沿江散步(女孩的钱只够两人回家的路费)。女孩认定男子值得信赖,很快和他结婚了。那个衣衫不整的乞丐不知不觉中成了红娘。当我对女孩见微知著的聪敏欣赏不已时,她脸色陡沉,说,婚后不久发现丈夫狭隘虚伪,两人很快分道扬镳。于是,那个乞丐又在浑然不觉中成了罪人。

我茫然了,不知如何对待这大城市眉眼上的瘤。某天和海外宗教界的朋友结伴走进地铁,肮脏的老乞丐裹着污浊的破毡,半跪半俯地挡住了阶梯,破旧草帽中,零星小币闪着暗淡的光。毡下像枪管一样

刺出半截腿,该长着脚的地方是一团褐色的腐肉。情景的惨和气味的熏,使人不得不远远抛下点儿钱,逃也似的躲开。

我知趣地退后了几步,和朋友拉开距离。依她的慈悲和博爱,无论捐出多少,都是心意,也是隐私,我尊重地闪开为好。她端庄地走了过去,俯身对残疾老人说,请你让一让,不要阻了通道,你没看到人们都绕开你走吗?这让大家多不方便啊。老人从地面抬起半张脸,并不答她的话,我行我素道,行行好,太太,给几个小钱……

朋友悄然走了过去,不曾放下一枚硬币。进入地铁,找到站内的工作人员,她说,通道上有个乞丐,妨碍了交通,请你们敦促他走开。

我无声地看着这一切,心想不给钱尚能理解,比如恰逢心绪不佳,没有余力关顾他人,但找了警察驱赶老丐是不是也嫌过严?忍不住替她找理由,说,我看到报载,有些乞丐骗吃骗喝,白天衣衫褴褛在街上乞讨,下了班之后西装革履地下馆子,有的干脆以此为业,几年下来,居然在乡下起楼造屋成了当地首富,想你一眼看出那乞丐正是这路人等?

朋友笑了,说,我哪有这份神功。你说的那些事例,我也在报上看过。具体到这位老人,没有证据,我们不可以随便怀疑。我疑惑道,既然你不认为他是坏人,为何不施舍?

朋友道,可我也不能判断出他是否真的贫病无告、难以自食其力啊。

我说,这却难了。每个人在掏腰包施舍之前,难道还要雇个私人侦探,一一查访乞丐们的收入情况吗?

朋友正色道,这正是现代社会的为难之处。农耕社会,谁个穷、

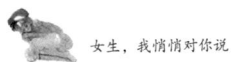

谁个真无助，十里八乡的人都心里有数。进入信息社会了，人员大量流动，我们知道火星几日几时几分大冲，一般人却无法掌握乞丐们的真实背景。

我说，那怎么办呢？有些乞丐挡住你的路，展示他们的残疾和可怕，吓得你不得不扔钱。几个人同行，若你袖手而过，就显出小气和不仁，压力也挺大啊。

朋友说，我是从不在马路边施舍的，那样不是仁慈，而是愚蠢。当然了，我不敢说马路边的每一个人都不该救助，但救助也要有现代的意识。你给了一点儿钱，他就叩头，他靠出卖尊严得到金钱，你收获了廉价的欲望满足。你的那几个小钱，是不配得到这样的回报的。他轻易地以头触地，因为他已不看重自我。那种靠展示生理恶疾来压榨人们的感官，更是一种潜在的威胁和逼迫。利用丑恶博得金钱，古来就被称为"恶乞"，被人所不齿。

如果你辛辛苦苦挣来的钱却助长了不良之风，不正与你善良的愿望相悖吗？

我听得点头，又问，那我们该如何施舍呢？

朋友说，要有正式的慈善机构来负责这些事务。它要接受各方面的监督，来有来路，去有去向，一清二白才能把好钢使在刀刃上，又省了普通民众的甄别之难。

从那以后，我可以坦然走过乞丐身旁，对那些慷慨解囊之人不再仰慕，对那些扬长而去之人也不再侧目。当然了，也积极向正规机构捐助，并期待他们的清廉。

轰毁你心中的魔床

魔鬼有张床,它守候在路边,把每一个过路的人,揪到它的魔床上。魔床的尺寸是现成的,路人的身体比魔床长,它就把那人的头或是脚锯下来。那人的个子矮小,魔鬼就把路人的脖子和肚子像拉面一样抻长……只有极少的人天生符合魔床的尺寸,不长不短地躺在魔床上,其余的人总要被魔鬼折磨,身心俱残。

一个女生向我诉说:"我被甩了,心中苦痛万分。他是我的学长,曾每天都捧着我的脸说,'你是天下最可爱的女孩'。可说不爱就不爱了,做得那么绝,一去不回头。我是很理性的女孩,当他说我是天下最可爱的女孩的时候,我知道我姿色平平,担不起这份美誉,但我知道那是出自他真心。那些话像火,我的耳朵还在风中发烫,人却大变了。我久久追在他后面,不是要赖着他,只是希望他拿出响当当硬邦邦的说法,给我一个交代,也给他自己一个交代。

"由于这个变故,我不再相信自己,也不相信他人。我怀疑我的智商,一定是自己的判断力出了问题。如此至亲至密,说翻脸就翻脸,让我还能信谁?"

女生叫箫凉。箫凉说到这里,眼泪把围巾的颜色一片片变深。失恋的故事,我已听过成百上千,每一次,都不敢等闲视之,我知道

有殷红的血从她心中坠落。

我对萧凉说:"这问题对你,已不单单是失恋,而是最基本的信念被动摇了,所以你沮丧、孤独、自卑,还有愤怒的莫名其妙感……"

萧凉说:"对啊,他欠我太多的理由。"

人是追求理由的动物。其实,所有的理由都来自我们心底的魔床——那就是我们对一些问题的看法和观念。它潜移默化地时刻评价着我们的言行和世界万物,相符了,就皆大欢喜,以为正确合理,不相符,就郁寡欢怨天尤人。

这种魔床,有一个最通俗最简单的名字,就叫作"应该",有的人心里摆得少些,有三个五个"应该"。有的人心里摆得多些,几十个上百个也说不准,如果能透视到他的内心,也许拥挤得像个卖床垫的家具城。

魔床上都刻着怎样的字呢?

萧凉的魔床上就写着"人应该是可爱的"。我知道很多女生特别喜欢这个"应该",热恋中的情人,更是三句话不离"可爱"。这张魔床导致的直接后果,就是我们以为自己的存在价值,决定于他人的评价。如果别人觉得我们是可爱的,我们就欢欣鼓舞,如果什么人不爱我们了,就天地变色日月无光。很多失恋的青年,在这个问题上百思不得其解,苦苦搜索"给个理由先"。如果没有理由,你不能不爱我。如果你说的理由不能说服我,那么就只有一个理由,就是我已不再可爱,一定是我有了什么过错……很多失恋的男女青年,不是被失恋本身,而是被他们自己心底的魔床锯得七零八落。残缺的自尊心在魔床之上火烧火燎,好像街头的羊肉串。

要说这张魔床的生产日期,实在是年代久远,也许生命有多少年，它就相伴了多少年。最初着手制造这张魔床的人，也许正是我们的父母。当我们还是婴儿的时候，那样弱小，只能全然依赖亲人的抚育。如果父母不喜欢我们，不照料我们，在我们小小的心里，无法思索这复杂的变化，最简单的方式，我们就以为是自己的过错。必是我们不够可爱，才惹来了嫌弃和疏远。特别是大人们的口头禅："你怎么这么不乖？如果你再这样，我就不喜欢你了……"凡此种种，都会在我们幼小的心底，留下深深的印记。那张可怕的魔床蓝图，就这样一笔笔地勾画出来了。

有人会说，啊，原来这"应该如何如何"的责任不在我，而在我的父母。其实，床是谁造的，这问题固然重要，但还不是最重要的。心理学家弗洛伊德说过，一个孩子，就是在最慈爱的父母那里长大，他的内心也会留有很多创伤（大意。原谅我一时没有找到原文，但意思绝对不错）。我们长大之后，要搜索自己的内心，看看它藏有多少张这样的魔床，然后亲手将它轰毁。

一位男青年说："我很用功，我的成绩很好。可是我不善辞令，人多的场合，一说话就脸红。我用了很大的力量克服，奋勇竞选学生会的部长，结果惨遭败北。前景黑暗，这可不是个好兆头，看来我一生都会是失败者。"于是，他变得落落寡合，自贬自怜，头发很长了也不梳理，邋遢着独往独来的，好似一个旧时的落魄文人。大家觉得他很怪，更少有人搭理他了。

他内心的魔床就是：我应该是全能的。我不单要学习好，而且样样都要好。我每次都应该成功，否则就一蹶不振。挫折被放在这张魔床上反复翻身比量，自己把自己裁剪得七零八落。一次的失败就成了永远的颓势，局部的不完美就泛滥成了整体的否定。

一个不美丽的女大学生每天顾影自怜。上课不敢坐在阶梯教室的前排，心想老师一定只愿看到"养眼"的女孩。有个男生向她表示好感，她想，我不美丽，他一定不是真心。如果我投入感情，肯定会被他欺骗，当作话柄流传。于是，她斩钉截铁地拒绝了他，以为这是决断和明智。找工作的时候，她的简历写得很好，每每被约见面试，但每一次都铩羽而归。她以为是自己的服饰不够新潮化妆不够到位，省吃俭用买了高级白领套装外带昂贵的化妆品，可惜还是屡遭淘汰……她耷拉着脸，嘴边已经出现了在饱经沧桑的失意女子脸上，才可看到像小括弧般的竖形皱纹。

如果允许我们走进她枯燥的内心，我想那里一定摆着一张逼仄的小床，床上写着"女孩应该倾国倾城，应该有白皙的皮肤，应该有挺秀的身躯，应该有玲珑的曲线，应该有精妙绝伦的五官……如果没有，她就注定得不到幸福，所有的努力都会白搭，就算碰巧有一个好的开头，也不会有好的结尾。如果有男生追求长相不漂亮的女孩，一定是个陷阱，背后必有狼子野心，切切不可上当……"

很容易推算，当一个人内心有了这样的暗示，她的面容是愁苦和畏惧的，她的举止是局促和紧张的，她的声音是怯懦和微弱的，她的眼神是低垂和飘忽的……她在情感和事业上成功的概率极低，到了手的幸福不敢接纳，尚未到手的机遇不敢追求，她的整个形象都散射着这样的信息——我不美丽，所以，我不配有好运气！

讲完了黯淡的故事，擦拭了委屈的泪水，我希望她能找到那张魔床，用通红的火把将它焚毁。

谁说不美丽的女子就没有幸福？谁说不美丽的女子就没有事业？谁说命运是个好色的登徒子？谁说天下的男子都是以貌取人的低

能儿？

心中的魔床有大有小，有的甚至金光闪闪，颇有迷惑人的能量。我见过一家证券公司的老总，真是事业有成高大英俊，名牌大学洋文凭，还有志同道合的妻子，活泼聪颖的孩子……一句话，简直人该有的他都有，可他寝食无安，内心的忧郁焦虑非凡人所能想象，不知是什么灼烤着他的内心。

"我总觉得这一切不长久。人无远虑，必有近忧。水至清则无鱼，谦受益满招损。我今天赚钱，日后可能赔钱。妻子可能背叛，孩子可能车祸。我也许会突患暴病，世界可能会地震火灾飓风，即使风调雨顺，也必会有人祸比如'9·11'……我无法安心，恐惧追赶着我的脚后跟，惶恐将我包围。"他眉头紧皱着说。

我说："你极度地不安，你总在未雨绸缪，你总在防微杜渐。你觉得周围潜伏着很多危险，它们如同空气看不着摸不到却无所不在无所不能。"

他说："是啊，你说得不错。"

我说："在你内心，可有一张魔床？"

他说："什么魔床？我内心只有深不可测的恐惧。"

我说："那张魔床上写着，人不应该有幸福，只应该有灾难。幸福是不真实的，只有灾难才是永恒的。人不应该只生活在今天，明天和将来才是最重要的。"

他连连说："正是这样。今天的一切都不足信，唯有对将来的忧患才是真实的。"

我说："每个人都有过去现在和将来。对我们来讲，无论过去发生过什么，都已逝去。无论你对将来有多少设想，都还没有发生，我

们活在当下。"

　　由于幼年的遭遇，他是个缺乏安全感的人，惊惧射杀了他对于幸福的感知和欣赏。只有销毁了那魔床，他才能晒到金色的夕阳，听到妻儿的欢歌笑语，才能从容镇定地面对风云，即使风雨真的袭来，也依然轻裘缓带玉树临风。

　　说穿了，魔床并不可怕，当它不由分说就宰割着你的意志和行为之时，面对残缺，我们只有悲楚绝望。但当我们撕去了魔床上的铭文，打碎了那些陈腐的"应该"，魔力就在一瞬间倒塌。随着魔床轰塌，代之以我们清新明朗的心态。

　　魔由心生。时时检点自己的心灵宝库，可以储藏勇气，可以储藏智慧，可以储藏经验和教训，可以储藏期望和安慰，只是不要储藏"应该"。

人生的沉思

　　人生有无数的岔道，在分岔的路口，多半摆着诱惑。我们常常被物质的光怪陆离耀花了眼睛。需要在漆黑的静夜想一想，想想我们与生俱来的理想，想想我们将要迈步的台阶，距我们最终的目标是近还是远？

　　有些人无时无刻不在显示他们的重要。高声说话，目光威严地扫射，很喧哗的笑声，不合时宜的服装和故意迟到，甚至不断地在报刊上制造耸人听闻的噱头……我总在这些做作的举动之中，发现一种属于恫吓的虚弱和勉力为之的疲倦。

　　生命是为自己而存在，它是一种朴素而自然的事情，不是在众人之前的杂耍。

　　你认定了一个男人或是一个女人为终身伴侣，就是斩钉截铁地拒绝了这世界上数以亿计的男人和女人。也许他们更坚毅更美丽，但拒绝就是取消，拒绝就是否决，拒绝使你一劳永逸，拒绝让你义无反顾，拒绝在给予你自由的同时，取缔了你更多的自由。拒绝是一条单航道，你开启了闸门，就奔腾而下，无法回头。

　　我们的拒绝常常过于匆忙，这是因为我们在有可能从容拒绝的日子里，胆怯地挥霍掉了光阴。我们推迟拒绝，我们惧怕拒绝。我们把拒绝比作困境中的背水一战，只要有一分可能，就鸵鸟式地缩进沙砾。殊不知当我们选择拒绝的时候，更应该冷静和周全，更应有充分的时间分析利弊与后果。拒绝应该是慎重思虑之后一枚成熟的浆果，而不是强行抒下的酸葡萄。

拒绝是没有错的，错误的是我们在拒绝前做出的判断。比起赞同来，我更欣赏拒绝。拒绝是一种删繁就简，拒绝是一种举重若轻，拒绝是一种大智若愚，拒绝是一种水落石出。

我不相信一见钟情。钟情其实是"一见"之后经过漫长时间思索的确认。如果只有一见，而没有其后的八见、十见、百见……情就始终无所黏附，不过是飘在空中的尼龙丝。如果真的因一见而没齿不忘，那实际上钟的不再是情，而是自己浪漫的想象与幻觉。

幸福并不与财富、地位、声望、婚姻同步，它只是你心灵的感觉。

一位经商的朋友愤愤地说，为什么北京没有大商人的故居呢？我想，除了从商这一行的规则，难以令所有的人心悦诚服以外，人们对在他们的故居可看到什么，大概表示乏味。也许可以看到文化，但何必看支流呢？既然源头存在，所有的商品和文字相比，都是速朽的。

对于现世，人们注重物质。对于久远，人们更注重精神。

一个人最少需要一种非功利的爱好。比如爱钓鱼，并不是为了解馋。爱书法，并不是为了卖钱。爱跑步，并不是要创世界纪录。爱跳舞，并不是为了上台表演……它不仅仅使富余的精力有所附丽，更让精神有了种舒展自如的安置与发挥，让人感受到人生的美好真谛。

我渴望衰老，因为生命的苦难。我知道我生存一天，就要不懈地努力一天。取消所有责任的正当途径只有一条，这就是死亡。衰老靠近死亡，所以我无所畏惧。

钻石靠什么物质来切割打磨它呢？答案——靠另一颗钻石。钻石自己敲打自己，是为了更完美。

惊奇是一种天然，而不是制造出来的，它是真情实感的火花。一块滚圆的鹅卵石，便不再会惊讶江河的波涛，惊奇蕴涵着奋进的活力。

刚富的穷人和刚穷的富人，都比较触目惊心。前者是要做出富过一百年的样子，后者是要做出还将富一百年的样子。

传送带不保留探索者的脚印，它淡然地看着一位位先驱者扑倒，只为成功者留下位置。

宇宙用死亡限制人们的步伐。人类的每一个婴儿降生，都是历史的一次重新开始。智者离开时，卷走了他们没有诉诸文字的所有发现。

历史不记录回声。人的生命是长度固定的锁链，为了对抗死亡，为了在重复学习之余留出创造的空间，只有在每一个生命之环上负载更多的希冀与沉重，人类日益变得匆忙与紧张。

我会在没有人的暗夜，深深检讨自己的缺憾。我不愿在众目睽睽之下，把自己像次品一般展览。

崇高的侧面可以是平凡，但绝不是卑微。

我在寻找那片野花

一位女友，告我这样一件事。

上小学的时候，班上有个女同学，叫作荞，家境贫寒，每学期都免交学杂费的。她衣着破烂，夏天总穿短裤，是捡哥哥剩下的。我和她同期加入少先队，那时候，入队仪式很庄重。新发展的同学面向台下观众，先站成一排，当然脖子上光秃秃的，此刻还未被吸收入组织嘛。然后一排老队员走上来，和非队员一对一地站好。这时响起令人心跳的进行曲，校长或是请来的英模——总之是德高望重的长辈，口中念念有词，说着"红领巾是红旗的一角，是用烈士的鲜血染成"等教诲，把一条条新的红领巾发到老队员手中，再由老队员把这一鲜艳的标志物，绕到新队员的脖子上，亲手挽好结，然后互敬队礼，宣告大家都是队友啦！隆重的仪式才算完成。

新队员的红领巾，是提前交了钱买下的。荞说她没有钱。辅导员说，那怎么办呢？荞说，哥哥已超龄退队，她可用哥哥的旧领巾。于是那天授巾的仪式，就有一点特别。当辅导员用托盘把新领巾呈到领导手中的时候，低低说了一句。同学们虽听不清是什么，但能猜出来——那是提醒领导：轮到荞的时候，记得把托盘里的那条旧领巾分给她。

满盘的新领巾好似一塘金红的鲤鱼，支棱着翅角。旧领巾软绵绵地卧着，仿佛混入的灰鲫，落寂孤独。那天来的领导，可能老了，不曾听清这句格外的交代，也许他根本没想到还有这等复杂的事。总之，他一一发放领巾，走到荞的面前，随手把一条新领巾分给了她。我看到荞好像被人砸了一下头顶，身体矮了下去。灿如火苗的红领巾环着她的脖子，也无法映暖她苍白的脸庞。那个交了新红领巾的钱，却分到一条旧红领巾的女孩，委屈至极。当场不好发作，刚一散会，就怒气冲冲地跑到荞跟前，一把扯住荞的红领巾说，这是我的！你还给我！

领巾是一个活结，被女孩拽住一股猛挣，就系死了，好似一条绞索，把荞勒得眼珠凸起，喘不过气来。大伙扑上去拉开她俩。荞满眼都是泪花，窒得直咳嗽。那个抢领巾的女孩自知理亏，嘟囔着，本来就是我的嘛！谁要你的破红领巾！说着，女孩把荞哥哥的旧领巾一把扯下，丢到荞身上，补了一句——我们的红领巾都是烈士用鲜血染的，你的这条红色这么淡，是用刷牙出的血染的。经她这么一说，我们更觉得荞的那条旧得凄凉。风雨洗过，阳光晒过，滮了颜色，布丝已褪为浅粉。铺在脖子后方的三角顶端部分，几成白色。耷拉在胸前的两个角，因为摩挲和洗涤，絮毛纷披，好似炸开的锅刷头。

我们都为荞不平，觉得那女孩太霸道了。荞一声未吭，把新领巾折得齐整整，还了它的主人，把旧领巾端端系好，默默地走了。

后来我问荞，她那样对你，你就不伤心吗？荞说，谁都想要新领巾啊，我能想通。只是她说我的红领巾，是用刷牙出的血染的，我不服。我的红领巾原来也是鲜红的，哥哥从九岁戴到十五岁，时间很久了。真正的血，也会褪色的。我试过了。

我吓了一跳。心想,她该不是自己挤出一点血,涂在布上,做过什么试验吧?我没敢问,怕得到一个肯定的答复。

毕业的时候,荞的成绩很好,可以上重点中学。但因为家境困难,只考了一所技工学校,以期早早分担父母的窘困。

在现今的社会里,如果没有意外的变故,接受良好的教育,是从较低阶层进入较高阶层的——不说是唯一,也是最基本的孔道。荞在很小的时候,就放弃了这种可能。她也不是国色天香的女孩,没有王子骑了白马来会她,所以,荞以后的路,就一直在贫困的底层挣扎。

我们这些同学,已近了知天命的岁月。在经历了种种的人生,尘埃落定之后,屡屡举行聚会,忆旧兼互通联络。荞很少参加,只说是忙。于是那个当年扯她领巾的女子说,荞可能是混得不如人,不好意思见老同学了。

荞是一家印刷厂的女工。早几年,厂子还开工时,她送过我一本交通地图,说是厂里总是印账簿一类的东西,一般人用不上的,碰上一回印地图,她赶紧给我留了一册,想我有时外出,或许会用得着。说真的,正因为常常外出,各式地图我很齐备,但我还是非常高兴地收下了她的馈赠。我知道,这是她能拿得出的最好的礼物了。

一次聚会,荞终于来了。她所在的工厂宣布破产,她成了下岗女工。她的丈夫出了车祸,抢救后性命虽无碍,但伤了腿,从此吃不得重力。儿子得了肝炎休学,需要静养和高蛋白。她在几地连做小时工,十分奔波辛苦。这次刚好到这边打工,于是抽空和老同学见见面。

我们都不知说什么好,只是紧握着她的手。她的掌上有很多毛刺，好像一把尼龙丝板刷。半小时后，荞要走了，同学们推我送送她。我打了一辆车，送她去干活的地方。本想在车上，多问问她的近况，又怕伤了她的自尊。正斟酌为难时，她突然叫起来——你看！你快看！窗外是城乡交界部的建筑工地，尘土纷扬，杂草丛生，毫无风景。我不解地问，你要我看什么呢？

荞很开心地说，我要你看路边的那一片野花啊。每天我从这里过的时候，都要寻找它们。我知道它们哪天张开叶子，哪天抽出花茎，在哪天早晨，突然就开了……我每天都向它们问好呢！

我一眼看去，野花已风驰电掣地闪走了，不知是橙是蓝，看到的只是荞的脸，憔悴之中有了花一样的神采。于是，我那颗久久悬起的心，稳稳地落下了。我不再问她任何具体的事情，彼此已是相知。人的一生，谁知有多少艰涩在等着我们？但荞经历了重重风雨之后，还在寻找一片不知名的野花，问候着它们。我知道在她心中，还储备着丰足的力量和充沛的爱，足以抵抗征程的霜雪和苦难。

此后我外出的时候，总带着荞送我的地图册。朋友这样结束了她的故事。

哑幸福

初逢一女子,憔悴如故纸。她无穷尽地向我抱怨着生活的不公,刚开始我还有点儿不以为然,但很快就沉入她洪水般的哀伤之中了。你不得不承认,在这个世界上,有些人就是特别的倒霉,女人尤多。灾难好似一群鲨鱼,闻到某人伤口的血腥之后,就成群结队而来,肆意啄食他的血肉,直到将那人的灵魂嘬成一架白骨。

从刚开始,我就知道自己这辈子不会有好运气的。她说。

我惊讶地发现,在一片黯淡的叙述中,唯有说这句话的时候,她的脸上显出生动甚至有一点得意的神色。

你如何得知的呢?我问。

我小时候,一个道士说过——这小姑娘面相不好,一辈子没好运的。我牢牢地记住了这句话。当我找对象的时候,一个很出色的小伙爱上了我。我想,我会有这么好的运气吗?没有的。就匆匆忙忙地嫁了一个酒鬼,他长得很丑,我以为,一个长相丑恶的人,应该多一些爱心,该对我好,但霉运从此开始。

我说,你为什么不相信自己会有好运气呢?

她固执地说,那个道士说过的……

我说,或许,不是厄运在追逐着你,是你在制造着它。当幸福向

你伸出银指的时候,你把自己的手掌,藏在背后了,你不敢和幸福击掌。但是,厄运向你一眨眼,你就迫不及待地迎了上去。看来,不是道士预言了你,而是你的不自信,引发了灾难。

她看着自己的手,摩挲着它,迟疑地说,我曾经有过幸福的机会吗?

我无言。有些人残酷地拒绝了幸福,还愤愤地抱怨着,认为祥云从未卷过他的天空。

幸福很矜持。遭逢的时候,它不会夸张地和我们提前打招呼。离开的时候,也不会为自己说明和申辩。

幸福是个哑巴。

和自己的血液分离

其实,天堂和地狱的距离,并不像人们想象的那样大,它一点也不遥远,都在女人的心中。一个人就可以让你上天堂,一个人也可以让你下地狱。

看了这句话,很多人就会想到是别人让自己上了天堂或是下了地狱,其实,我指的这个人就是你自己。

很多女人常常觉得是某一个男人让自己幸福或是不幸,表面上看起来,有的时候的确是这样的。同学聚会,你能看到某个女子简直是泡在蜜罐里的杏干,浑身都散发出蜂蜜的香气。可下一次,斗转星移,该女子就成了猪苦胆腌出来的黄连,凄苦得如同败絮。究其原因,都是因为一个男人的爱与不爱。当你依靠别人的力量登上天堂的时候,就要想到会有风驰电掣跌下的一天。所以,我看到依偎着的伴侣,就会生出担心。

你要上天堂,请自己登攀。

常常想,一个人的生存状态,就这样岌岌可危地取决于另外一个人吗?那个人是天堂和地狱间的吸管,能让你像液体一样在这狭小的管道中来回流动吗?是谁给了这根吸管如此大的活力?是谁把你变成了哭哭啼啼的液体……

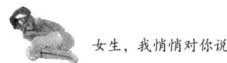

感情纠葛中,痴情男女所问的"为什么"特别多,多到让人厌烦。发问者必将寻求答案,这是一句古老的喀麦隆谚语。类似的话,在民间智慧中,屡屡出现。

有一个姑娘面对与恋人的分手,痛苦万分。在QQ上,恋人对她说,你是我血管中的血液,可我还是要和你分手。女孩子对我说,他都说我是他的血液了,可见我是多么重要!我就想不通,一个人怎么能和自己的血液分离呢?那他不就立刻死了吗?!这说明他还是爱我的呀!我说,不要相信那些理由,不要追问太多的为什么。有的时候,所有的理由都是借口,你需要接受的只是答案。

他说得很对,你是他的血液。可你知道,人流出几百毫升血液是不会死的。就是流出了更多的血液,只要能很快地输血,人也是不会死的。真正死亡的是那些流出身体内部的鲜血,它们会干涸,会丧失鲜红的颜色和蓬勃的生命力,成为紫褐色的血痂。

那个女孩子愣了半天,最后说,哦哦,我不再问为什么了。我从现在开始储备勇气,去迎接那个结果。

第五辑

没有一棵小草自惭形秽

学会不怨天尤人，勇敢地担负起自己应负的责任，这是一种美德，并且会给自己带来意想不到的礼物，那就是，你将一手造就自己的经历，为自己带来好运气。

自信第一课

1972年的一天，领导通知我速去乌鲁木齐报到，新疆军区军医学校在停顿若干年后这年第一次招生，只分给阿里军分区一个名额，首长经过研究讨论，决定让我去。

按理说，我听到这个消息应该喜出望外才是。且不说我能回到平地，吸足氧气，让自己被紫外线晒成棕褐色的脸庞得到"休养生息"，就是从学习的角度讲，在重男轻女的部队能够把这样宝贵的唯一的名额分到我头上，也是天大的恩惠了。但是在记忆中，我似乎对此无动于衷，也许是雪山缺氧把大脑纤维冻得迟钝了。我收拾起自己简单的行李，从雪山走下来，奔赴乌鲁木齐。

1969年，我从北京到西藏当兵，那种中心和边陲的，文明和旷野的，优裕和茹毛饮血的，高地和凹地的，温暖和酷寒的，五颜六色和纯白的……一系列剧烈反差，在我的心底搅起了沧海桑田般的变化。面临死亡咫尺之遥，面对冰雪整整三年，我再也不是当初那个天真烂漫的城市女孩，内心已变得如同喜马拉雅山万古不化的寒冰般苍老。我不会为了什么事件的突发和变革的急剧而大喜大悲，只会淡然承受。

入学后，从基础课讲起，用的是第二军医大学的教材，教员由本校的老师和新疆军区总医院临床各科的主任、新疆医学院的教授担任。记得有一次，考临床病例的诊断和分析，要学员提出相应的治疗方案。那是一个不复杂的病案，大致的病情是由病毒引起重度上呼吸道感染，病人发烧流涕咳嗽、血象低，还伴有一些阳性体征。我提出方案的时候，除了采用常规的治疗外，还加用了抗生素。

讲评的时候，执教的老先生说："凡是在治疗方案里使用了抗生素的同学都要扣分。因为这是一个病毒感染的病例，抗生素是无效的。如果使用了，一是浪费，二是造成抗药，三是无指征滥用，四是表明医生对自己的诊断不自信，一味追求保险系数……"老先生发了一通火，走了。

后来，我找到负责教务的老师，讲了课上的情况，对他说："我就是在方案中用了抗生素的学员。我认为那位老先生的讲评有不完全的地方，我觉得冤枉。"

教务老师说："讲评的老先生是新疆最著名的医院的内科主任，是在解放前的帝国医科大学毕业的，在国民党的军队里做到很高的医官，他的医术在整个新疆是首屈一指的。把这老先生请来给你们讲课，校方已冒了很大的风险。他是权威，讲得很有道理，你有什么不服的呢？"

我说："我知道老先生很棒，但是具体问题要具体分析。他提出的这个病例并没有说出就诊所在的地理位置，比如要是在我的部队，在海拔五千米以上的高原，病员出现高烧等一系列症状，明知是病毒感染，一般的抗生素无效，我也要大剂量使用。因为高原气候恶劣，病员的抵抗力大幅度下降，很可能合并细菌感染。如果到了临床上出现明确的感染征象时，才开始使用抗生素的话，那就晚了，来不及了,病员的生命已受到严重威胁……"

教务老师沉默不语。最后,他说:"我可以把你的意见转告给老先生,但是,你的分数不能改。"

我说:"分数并不重要,您听我讲完了看法,我已知足了。"

教室的门开了,校工闪了进来,搬进来一把木椅子摆在讲案旁,且侧放。我们知道,老先生又要来了。也许是年事已高,也许是习惯,总之,老先生讲课的时候是坐着的,而且要侧着坐,面孔永远不面向学生,只是对着有门或有窗的墙壁。不知道他这是积习,还是不屑于面对我们,或是有什么难言之隐。

这一次,老先生反常地站着。他满头白发,面容黢黑如铁,身板挺直如笔管,让我笃信了他曾是国民党医官一说。

老先生目光如锥,直视大家,音量不大,但在江南口音中运了力道,话语中就有种清晰的硬度了。他说:"听说有人对我的讲评有意见,好像是一个叫毕淑敏的同学。这位同学,你能不能站起来,让我这个当老师的也认识你一下?"

我只有站起来。

老先生很注意地看了我一眼,说:"好,毕淑敏,我认识你了。你可以坐下了。"

说实话,那几秒钟,真把我吓坏了。不过,有什么办法呢?说出的话就像注射到肌肉里的药水一样,你是没办法抠出来的。

全班寂静无声。

老先生说:"毕淑敏,谢谢你。你是好学生,你讲得很好。你的话里有一部分不是从我这儿学到的,因为我还没有来得及教给你那么多。是的,作为一个好的医生,一定不能全搬书本,一定不能教

条，要根据具体的情况决定治疗方案。在这一点上，你们要记住，无论多么好的老师，也不可能把所有的规则都教给你们。我没有去过毕淑敏所在的那个五千米高的阿里，但是我知道缺氧对人的影响。在那种情况下，她主张使用抗生素是完全正确的，我要把她的分数改过来……"

我听到教室里响起一阵轻微的欢呼，因为写了抗生素治疗的不仅我一个，很多同学为这一改正而欢欣。

老先生紧接着说："但在全班，我只改毕淑敏一个人的分数。你们有人和她写的一样，还是要被扣分。因为你们没有说出她那番道理，是知其然而不知其所以然。你现在再找我说也不管事了，即使你是冤枉的也不能改。因为就算你原来想到了，但对上级医生的错误没敢指出来。对年轻的医生来说，忠诚于病情和病人，比忠实于导师要重要得多。必要的时候，你宁可得罪你的上司，也万万不能得罪你的病人……"

这席话掷地有声。事过这么多年，我仍旧能够清晰地记得老先生如锥的目光和舒缓但铿锵有力的语调。平心而论，他出的那道题目是要求给出在常规情形下的治疗方案，而我竟从某个特殊的地理环境出发，并苛求于他。对一个初出茅庐的年轻人的不全面的异议，老先生表现出虚怀若谷的气量和真正医生应有的磊落品格。

真的，那个分数对我来说完全不重要，重要的是我在此番高屋建瓴的话语中，悟察到了一个优等医生的拳拳之心。

我甚至有时想，班上同学应该很感激我的挑战才对。因为没过多长时间，老先生就因为身体的关系不再给我们讲课了。如果不是我无意中创造了这个机会，我和同学们的人生就会残缺一段非常凝重宝贵的教诲。

　　我的三年习医生涯,在我的生命中是一个重大的转折。我从生理上明了了人体,也从精神上对自己有了更多的信任。我知道了我们的灵魂居住在怎样的一团组织之中,也知道了它们的寿命和限制。如果说在阿里的时候我对生命还是模模糊糊的敬畏,那么,教师的教诲使我确立了这样的观念:一生珍爱自身,并把他人的生命看得如珠似宝,全力保卫这宝贵而脆弱的珍品。

握紧你的右手

　　常常见女孩郑重地平伸着自己的双手,仿佛托举着一条透明的哈达。看手相的人便说:男左女右。女孩把左手背在身后,把右手手掌对准湛蓝的天。

　　常常想世上可真有命运这种东西?它是物质还是精神?难道说我们的一生都早早地被一种符咒规定,谁都无力更改?我们的手难道真

是激光唱盘,所有的祸福都像音符微缩其中?

当我沮丧的时候,当我彷徨的时候,当我孤独寂寞悲凉的时候,我曾格外地相信命运,相信命运的不公平。

当我快乐的时候,当我幸福的时候,当我成功优越欣喜的时候,我格外地相信自己,相信只有耕耘才有收成。

渐渐地,我终于发现命运是我怯懦时的盾牌,当我叫嚷命运不公最响的时候,正是我预备逃遁的前奏。命运像一只筐,我把对自己的姑息、原谅以及所有的延宕,都一股脑儿地塞进去,然后蒙一块宿命

的轻纱。我背着它慢慢地向前走,心中有一份心安理得的坦然。

有时候也诧异自己的手。手心叶脉般的纹路还是那样琐细,但这只手做过的事情,却已有了几番变迁。

在喜马拉雅山、冈底斯山、喀喇昆仑山三山交汇的高原上,我当过卫生员,在机器轰鸣铜水飞溅的重工业厂区里,我做过主治医师。今天,当我用我的笔杆写我对这个世界的想法时,我觉得是用我的手把我的心制成薄薄的切片,置于真和善的天平之上……

高原呼啸的风雪,卷走了我一生中最好的年华,并以浓重的阴影,倾泻于行程中的每一处驿站。

岁月送给我苦难,也随赠我清醒与冷静。我如今对命运的看法,恰恰与少年时相反。

当我快乐当我幸福当我成功当我优越当我欣喜的时候,当一切美好辉煌的时刻,我要提醒我自己——这是命运的光环笼罩了我。在这个光环里,居住着机遇,居住着偶然性,居住着所有帮助过我的人。

而当我受挫和悲哀的时候,我便镇静地走出那个怨天尤人的我,像孙悟空的分身术一样,跳起来,站在云头上,注视着那个不幸的人,于是我清楚地看到了她的软弱,她的懦怯,她的虚荣以及她的愚昧……

年近不惑,我对命运已心平气和。

小时候是个女孩儿,大起来成为女人,总觉得做个女人要比男人难,大约以后成了老婆婆,也要比老爷爷累。

生活中就像没有无缘无故的爱一样,也没有无缘无故的幸运。对于女人,无端的幸运往往更像一场阴谋一个陷阱的开始。我不相信命运，我只相信我的手。

因为它不属于冥冥之中任何未知的力量，而只属于我的心。我可以支配它，去干我想干的任何一件事情。我不相信手掌的纹路，但我相信手掌加上手指的力量。

蓝天下的女孩儿，在你纤细的右手里，有一粒金苹果的种子，所有的人都看不见它，唯有你清楚地知道它将你的手心炙得发痛。

那是你的梦想，你的期望！

女孩，握紧你的右手，千万别让它飞走！相信自己的手，相信它会在你的手里，长成一棵会唱歌的金苹果树。

我很重要

当我说出"我很重要"这句话的时候,颈项后面掠过一阵战栗。我知道这是把自己的额头裸露在弓箭之下了,心灵极容易被别人的批判洞伤。

许多年来,没有人敢在光天化日之下表示自己"很重要"。我们从小受到的教育都是——"我不重要"。

作为一名普通士兵,与辉煌的胜利相比,我不重要。

作为一个单薄的个体,与浑厚的集体相比,我不重要。

作为一位奉献型的女性,与整个家庭相比,我不重要。

作为随处可见的人的一分子,与宝贵的物质相比,我不重要。

当我在国外的一份刊物上看到"一个人的价值胜于整个世界"的口号时,曾大惑不解。

我们——简明扼要地说,就是每一个单独的"我"——到底重要还是不重要?

我是由无数星辰日月草木山川的精华汇聚而成的,只要计算一下我们一生吃进去多少谷物,饮下了多少清水,才凝聚成一具精妙绝伦的躯体,我们一定会为那数字的庞大而惊讶。平日里我们尚要珍惜一粒米、一叶菜,难道可以对亿万粒菽粟亿万滴甘露滋养出的万物之

灵，掉以丝毫的轻心吗？

我在博物馆里看到北京猿人窄小的额和前凸的嘴时，我为人类原始时期的粗糙而黯然。他们精心打制出的石器，用今天的眼光看来不过是极简单的玩具，如今很幼小的孩童，就能熟练地操纵语言，我们才意识到已经在进化之路上前进了多远。我们的头颅就是一部历史，无数祖先进步的痕迹储存于脑海深处。我们是一株亿万年苍老树干上最新萌发的绿叶，不单属于自身，更属于土地。人类的精神之火，是连绵不断的链条，作为精致一环，我们否认了自身的重要，就是推卸了一种神圣的承诺。

回溯我们诞生的过程，两组生命基因的嵌合，更是充满人所不能把握的偶然性。我们每一个个体，都是机遇的产物。

常常遥想，如果是另一个男人和另一个女人结合，就绝不会有今天的我……

即使是这一个男人和这一个女人，如果换了一个时辰相爱，也不会有此刻的我……

即使是这一个男人和这一个女人在这一个时辰，由于一片小小落叶或是清脆鸟啼的打搅，依然可能不会有如此的我……

一种令人怅然以至走入恐惧的想象，像雾霭一般不可避免地缓缓升起，模糊了我们的来路和去处，令人不得不断然打住思绪。

我们的生命，端坐于概率垒就的金字塔的顶端，面对大自然的鬼斧神工，我们还有权利和资格说我不重要吗？

对于我们的父母，我们永远是不可重复的孤本，无论他们有多少儿女，我们都是独特的。

假如我们不存在了，他们就空留一份慈爱，在风中蛛丝般无以附丽地飘荡。

假如我们生了病，他们的心就会皱缩成石块，无数次向上苍祈祷我们的康复，甚至愿灾痛以十倍的烈度降临于他们自身，以换取我们的平安。

我们的每一滴成功，都如同经过放大镜，进入他们的瞳孔，摄入他们心底。

假如我们先他们而去，他们的白发会从日出垂到日暮，他们的泪水会使太平洋为之涨潮。

面对这无法承载的亲情，我们还敢说我不重要吗？

我们的记忆，同自己的伴侣紧密地缠绕在一处，像两种混淆于一碟的颜色，已无法分开。你原先是黄，我原先是蓝，我们共同的颜色是绿，绿得生机勃勃，绿得苍翠欲滴。失去了妻子的男人，胸口就缺少了生死攸关的肋骨，心房裸露着，随着每一阵轻风滴血。失去了丈夫的女人，就是齐刷刷折断的琴弦，每一根都在雨夜长久地自鸣……

面对相濡以沫的同道，我们忍心说我不重要吗？

俯对我们的孩童，我们是至高至尊的唯一。我们是他们最初的宇宙，我们是深不可测的海洋。假如我们隐去，孩子就永失淳厚无双的血缘之爱，天倾东南，地陷西北，万劫不复。

盘子破裂可以粘起，童年碎了，永不复原。伤口流血了，没有母亲的手为他包扎。面临抉择，没有父亲的智慧为他谋略……面对后代，我们有胆量说我不重要吗？

与朋友相处，多年的相知，使我们仅凭一个微謦的眉尖、一次睫毛的抖动，就可以明了对方的心情。假如我不在了，就像计算机丢失了一份不曾复制的文件，她的记忆库里留下不可填补的黑洞。夜深人静时,手指在揿了几个电话键码后,骤然停住,那一串数字再也用不着默诵了。逢年过节时,她写下一沓沓的贺卡。轮到我的地址时,她闭上眼睛……许久之后,她将一张没有地址只有姓名的贺卡填好,在无人的风口将它焚化。相交多年的密友,就如同沙漠中的古陶,摔碎一件就少一件,再也找不到一模一样的成品。面对这般友情,我们还好意思说我不重要吗?

我很重要。

我对于我的工作我的事业,是不可或缺的主宰。我的独出心裁的创意,像鸽群一般在天空翱翔,只有我才捉得住它们的羽毛。我的设想像珍珠一般散落在海滩上,等待着我把它用金线拴起。我的意志向前延伸,直到地平线消失的远方……

没有人能替代我,就像我不能替代别人。

我很重要。

我对自己小声说。我还不习惯嘹亮地宣布这一主张,我在不重要中生活得太久了。

我很重要。

我重复了一遍,声音放大了一点。我听到自己的心脏在这种呼唤中猛烈地跳动。

我很重要。

我终于大声地对世界这样宣布。片刻之后,我听到山岳和江海传来回声。

是的,我很重要。我们每一个人都应该有勇气这样说。我们的地位可能很卑微,我们的身份可能很渺小,但这丝毫不意味着我们不重要。重要并不是伟大的同义词,它是心灵对生命的允诺。

对于一株新生的树苗，每一片叶子都很重要。对于一个孕育中的胚胎，每一段染色体碎片都很重要。甚至驰骋寰宇的航天飞机，也可以因为一个密封橡皮圈的疏漏而凌空爆炸——你能说它不重要吗？

　　人们常常从成就事业的角度，断定我们是否重要。但我要说，只要我们在时刻努力着，为光明在奋斗着，我们就是在无比重要地生活着。

　　让我们昂起头，对着我们这颗美丽的星球上无数的生灵，响亮地宣布——我很重要。

为富人担保的穷人

南方的一座小城。

瘦弱的女人,大约四十岁,朴素到陈旧的装束,使人很难把她和推销信用卡这种新潮行当联系起来。她业绩显赫,在很短的时间内就推销了上千张,每张卡一千元开户,且全部是个人购买。

你干得很出色啊,我说。

人到了没办法的时候,就给逼出主意来了……我原在工厂做工,后来不景气……银行给了我一大沓表,每张表相当于一张卡。要是我不能把这些卡推销出去,今后的工作就很难说……她淡淡地讲着,表情也像一张新的信用卡,平和而干净。

你的第一张卡卖给谁了呢?是不是很难?我小心地问。万事开头难,以她的年纪、长相和性格,第一步肯定布满荆棘。

没想到她笑起来,说,第一张是一点儿也不难的,我一下子就卖出去了。我自己买了我的第一张卡。虽然没那么多闲钱,但我得先学会用卡,要是我都稀里糊涂的,还能指望别人买卡吗?

说着,她从衣袋里掏出一个男用钱夹,里头小格子很多,好像盛不了多少钱,是人造革的。她一边说一边很亲切地抚摸着皮夹,好像它是一只有呼吸的小动物。它是我工作的帮手,用个文明词,就是道具。

她接着讲述卖第二张卡的经历。

那是一户大款。我把来意说了，他连头也不抬地说，你给我出去，我不要什么卡。积我多少年的经验，没有什么比现钱更好使的东西了。

我说，您的生意越做越大，钱会越聚越多，总有一天，您带的现钱会使您走不动路。

他把头抬起来一字一顿地说，那我会雇人给我扛着钱。

我说，积我多少年的经验，钱放在谁的口袋里，也不如放在自己兜里保险。我请您看看这个国外最新式样的钱夹。

他注意地盯着我说，你是推销钱夹还是推销信用卡的？

我不理他，把小格子一个个展示给他看。然后说，这些地方都是装信用卡的，真正有钱的人，随身带的是卡而不是钱。当然他们有时也带一点儿零钱，那是为了付小费和施舍乞丐。用卡是一种文明的方式，真正的大亨是不屑于用大拇指数钱的，他们只用食指把卡推过去。假如您到大饭店请朋友吃饭，当着客人的面数一大沓旧钞票，是一件煞风景的事。别的不说，就说钞票不干净，上面带着数不清的病菌，您跟别人握手，人家也许会嫌您脏……

他突然打断我的话，说，你还有完没完了？咒我啊？我买你的卡就是了！

说完这段经历，她又安静地沉默下来。

我说，你对大款倒真是不卑不亢，但世上的大款终究是少数，对工薪阶层你说什么呢？

女人说，我对那些常常出差的人讲，您出门在外，最怕的不就是丢钱吗？办事且不说，单是……咱们都这么大岁数了，我也不怕难为情，街上卖的带拉锁的裤头就是干这个使的。可夏天您就不出汗了？

出了汗,您就不洗内衣了?那点儿钱像耗子搬家似的藏来藏去,烦不烦人?要是遇着临时用钱的事,您还得上厕所掏钱,着急不着急?

听你这么一说,他们一定乐意买卡了。我说。

也不一定。有的人是立马儿掏钱了,也有的人说,别把你的卡说得那么好,带钱会丢,带卡就不会丢了吗?小偷可不认这个理!

那你怎么回答呢?我有些替她着急。

我就说,使卡的时候,要和本人的身份证配合着用。您把卡装在左兜里,把身份证装在右兜里。单偷了卡,他也没法用。

哪儿那么巧,小偷先掏了您左兜又掏您右兜,您就把卡和身份证一块儿都丢了呢?回来补个卡就是了,避免了损失。听我这么一说,那些出差的人就笑起来,说我们买你的卡了。

我说,这座城市并不大,就算大款和出差的人都买了你的卡,离你要完成的数量也还差着呢。

她叹了一口气说,是啊,我就是只有再想办法了。

比如碰到有人结婚,我就找到他的朋友,说,您正在想送给新人什么礼物吧?我给您出个主意,凑钱送他们一张信用卡吧,这比送人家一大堆锅碗瓢盆、床单被面要好。一是小两口可以买自己心爱的东西,您就尽了心意。二是什么时候人家用起这卡来,都会想起朋友的情意。哪怕卡上的钱用完了,他们自己往卡里续钱,也还记得您开的这个头……

要是哪个单位效益好,预备表彰先进模范,我就去对领导说,给您的先进人物送一张卡吧,这个礼物新颖……

女人说,不过,一下子能奖励一千块钱的单位并不多。有的领导说,我们的胃口没有那么大。我就说,您只需奖二十块钱就行。轮到领导搞不懂了，我说，每张卡需要二十块钱的开户费，您把这个钱出了，剩下的钱由个人出，也可以啊。现在的二十块钱实在算不了什么，买只烧鸡还缺条腿呢，您要是单奖给谁二十块钱，保证拿不出手，可您奖了他这个开户的手续，礼轻情意重啊！中国人有时候挺怪的，心疼小钱，不心疼大钱，许多人不愿意让这个开户的资格作废，就买了卡……

我说，看来你很顺利啊。

她停顿了一下说，我光跟您说好的了，也有很为难的时候。

我说，举一个你最为难的例子好吗？

她低下头，短发遮没了半个脸庞，一种疲倦的沧桑浮上眼帘，眼角罩起银杏叶一般的纹路。

有一次，我向一位总经理推销信用卡……她困难地说。

无论在哪个部门，我都是从最大的头头开始推销。上行下效，中国人信这个。只要领导买了，底下的人就放心了，要不，你说破天，大家也不信你。

买卡是需要担保人的，也就是说，如果持卡人恶意透支的话，担保人要承担损失。因为银行是以天为单位结算的，如果有人在一天内快速支出巨额，不到晚上结算的时候，电脑是反映不出来的。假如这个人跑了，银行的损失就得找担保人了。

我请总经理代理单位为他的职员担保。

他说，这年头，谁能担保得了谁呢？当父母的担保不了儿女，丈夫担保不了老婆。我不能为他们担保。

我说，如果您不能为所有的员工担保，只为您的高级职员担保吧。

他说，那也不行，我信不过他们。

我说，那您只为您的副总经理担保如何？

总经理说，除了我自己，我不相信这世界上的任何人。

我定定地看着他，一字一句地说，这个世界上总还是好人多。

他似笑非笑地对我说，你真是这样认为吗？

我说，真的，我受过很多次骗，但我还是愿意相信别人。当我搞不清一个人该相信还是不该相信的时候，我只有相信他。

他的脸色很难看，说，你的话算数吗？

我说，我虽是一个女人，但比许多男人更守信用。

他说，那好吧，我给你一个实践的机会。咱们两个素不相识，现在，你如果肯给我做担保人，我就买你的卡，而且，我为我的员工做担保。

我一下子愣在那里了。他是腰缠万贯的大富翁，我是一个下岗的女工。如果他要恶意透支，我就是砸锅卖铁也还不上他欠的钱啊！但我知道我不能退却，这已经不单是能不能推销出去一张卡的事情了，还关乎某种做人的原则。

在他富丽堂皇的老板台前，我停顿了片刻。不是我迟疑，而是为了能让他更好地听清我的话。我再次一字一句地对他说——我是一个穷人，但我愿意为您担保。

女人说完这句话，久久地沉默了。

我说，你以后害怕了吗？

她说，是啊。不过，我不后悔。只是这事至今我没跟丈夫讲，他是个安分守己的人，若知道了，会吓得睡不着觉的。

停了许久，女人说，其实，这还不是最为难的，我最难过的是有一次碰到从前一起做工的姐妹。

她们问我现在在做什么。我跟她们说起卡来,并不是要显摆什么,只是天天都和卡打交道,卡已经成了我生活中的一部分,不由自主地说起来了。单是说说卡是怎么回事也就罢了,千不该万不该,我不该在介绍完卡以后说了一句,卡有这么多的方便,你也买张卡吧……

我真的不是故意要推销卡,只是一种习惯。

以前的姐妹就说,你说的这个卡大概真是很好,我们信你的话,可对我们来说有什么用呢?能用这卡从自由市场买菜吗?能上小卖铺买酱油吗?能到煤店里买煤吗?能在学校里用它交孩子的学费吗……

我站在马路当央,一句话也说不出来……

推销卡的女人垂着眼帘,忽然,她睁开了眼睛,说,您知道什么样的人最不喜欢买卡了吗?

我猜测着说,是收入比较窘迫的人吧?

她说,您错了。收入少的人不买卡,只是觉着卡和自己的关系不大,就像人们不关心火星上发生什么事一样。如果他们挣了钱,还是会买的。

最不喜欢买卡的人是那些有灰色收入的人,因为卡上的每一笔花费都有案可查,你什么时候在什么地点花了多少钱,电脑这只神眼都会忠实地记录下来。虽说是给用户保密,但心里有鬼的人不愿在世上留下任何痕迹,他们只愿意神不知鬼不觉地在暗处花钱。所以,有些人我是从来不动员他们买卡的,他们是卡的黑洞。

她疲惫地一笑,说,卡是个新事物,是和世界接轨的东西,可有些简单的东西到了咱们这儿,就变得复杂起来。我现在只盼那个我做担保的富人,不要上了恶意透支的黑名单。

发出声音永远是有用的

有一年,我应邀到一所中学演讲。中国北方的农村,露天操场,围坐着几千名学生,他们穿着翠蓝色校服,脸蛋呈现出一种深紫的玫瑰红色。冬天,很冷。

我从不曾在这样冷的地方讲过这么多的话,虽然,我以前在西藏待过,经历过零下四十度的严寒,但那时军人们急匆匆像木偶一般赶路,缄口不语,说话会让周身的热量非常快地流失。这一次,吸进冷风,呼出热气,在腊月的严寒中面对着一群眼巴巴的农村少年谈人生和理想,我口中吐冒一团团的白烟,像老式的蒸汽火车头。

演讲完了,我说,谁有什么问题,可以写个纸条。这是演讲的惯例,我有什么地方说得不妥当,请大家指正。孩子们掏出纸笔,往手心哈一口热气,纷纷写起来。老师们很负责地在操场上穿行,收集纸条。

我打开一张纸条。上面写着:我很生气,这个世界是不平等的。比如,我为什么是一个女孩呢?我的爸爸为什么是一个农民?而我同桌的爸爸却是县长?为什么我上学要走那么远的路,我的同桌却坐着小汽车?为什么我只有一支笔,他却有那么大的一个铅笔盒???

我看着那一排钩子一样的问号,心想这是一个充满了愤怒的女孩，如果她张嘴说话，一定像冲出了一股乙炔，空气都会燃起蓝白的火苗。

我大声地把她写的条子念了出来，那一瞬，操场上很静很静，听得见遥远的天边，有一只小鸟在嘹亮地歌唱。我从台子上望下去，一双双乌溜溜的眼珠，在玫瑰红色的脸蛋上瞪得溜圆，还有人东张西望，估计他们在猜测纸条的主人。

据说孩子们在妈妈的肚子里，就能体会到母亲的感情，很多女孩子从那个时候，就感受到了这个世界的不平等，因为你不是一个男孩，你不符合大家的期望。

这有什么办法吗？没有。起码在现阶段，没有办法改变你的性别，你只有认命。我在这里说的"命"，不是虚无缥缈的命运，而是指你与生俱来的一些不能改变的东西，比如你的性别，比如你的相貌，比如你的父母，比如你降生的时间、地点……总之，在你出生以前就已经具备的这些东西，都不是你所能左右的，你只能安然接受。

不要相信对你说这个世界是平等的那些话，在现阶段，这只是一厢情愿。不过，你不必悲观丧气，其实，世界已经渐渐在向平等的灯塔航行。比如一百年前，你能到学堂里来读书吗？你很可能裹着小脚，在屋里低眉顺眼地学做女红。县长的儿子，在那个时候，要叫作县太爷的公子了，你怎么可能和他成为同桌？在争取平等的路上，我们已经出发了。记住，没有什么人承诺和担保你一生下来，就享有阳光灿烂的平等。你去看看动物界，就知道平等是多么罕见了。平等是人们智慧的产物，是维持最大多数人安宁的策略。你明白了这件事情，就会少很多愤怒，多很多感恩。你已经享受了很多人奋斗的成果，你的回报，就是继续努力，而不是抱怨。

身为女子,你不要对这样的不平等安之若素,你可以发出声音。说了和没有说,在暂时的结果上可能是一样的,但长远的感受和影响是不一样的,对你性格的发展是不一样的。而且,只要你不断地说下去,事情也许就会有变化。记住,发出声音永远是有用的,因为它们可能会被听到并引发改变。

说实话,让一个受到忽视的女孩子,很小就发出对自己不公平待遇的呐喊,几乎是不可能的。但我思索再三,还是决定保留这个期望。因为今天的女孩,也可能变成明天的母亲。如若她们因循守旧,照样端起了不平等的衣钵,如若她们的女儿发出呼声,也许能触动她们内在的记忆,事情就有可能发生变化。当然了,如果女孩子长大了,到了公共场合,这一条就更要记住并择机实施。

记住,呐喊是必须的,就算这一辈子无人听见,回声也将激荡久远。

在生命的所有季节播种

朋友，当我看你的信的时候，是一个阴雨绵绵的早上，我仿佛听到你在远处悠长的叹息。我认识很多这样的女人，青春已永远驶离她们的驿站，只把白帆悬挂在她们肩头。在辛劳了一辈子之后，突然发现整个世界已不再需要自己。她们坠入空前的大失落，甚至怀疑自己生存的意义。

女人，你究竟为谁生活？

当我们幼小的时候，我们是为父母而活着的。我们亲昵的呼唤，我们乖巧的举动，我们帮母亲刷锅洗碗，我们优异的成绩给父亲带来欣喜……女孩以为这就是生存的意义。

当我们正值青春的时候，我们是为工作和知识而活着。我们读书，我们学习，我们在自己的岗位上努力地工作着，我们获得各式各样的奖状……女人以为这就是生存的意义。

当我们和自己的另一半结合在一个屋檐下的时候，我们以为太阳会在每一个早上升起，风暴会被幸福隔绝在遥远的天际。我们以丈夫的事业为自己的事业，无私地贡献出自己的一切。遵循美德，妻子以为这就是生存的意义。

当我们有了自己的孩子以后，我们视孩子胜过自己的生命，在母亲和孩子的冲突中，女人是永远的弱者。在干渴中，只要有一口水，母亲一定会把它喂给孩子。在风寒中，只要有一件衣，母亲一定会披在孩子的身上……母亲以为孩子就是自己生存的意义。

终于，丈夫先我们而去，孩子已展翅飞翔。岗位上已有了更年轻的脸庞，整个世界已把我们遗忘。

这个时候，不管你有没有勇气问自己，你都必须重新回答：为谁而生存？

丈夫、孩子、事业……这些沉甸甸的谷穗里，都有女人的汗水，但它们毕竟不是女人自身。女人是属于自己的，暮年的女人，像秋天的一株白杨，抖去纷繁的绿叶，露出树干上智慧的眼睛，独自探索生命的意义。

生命对于每个人，都是上苍只有一次的馈赠。女人要格外珍惜生存的机遇，因为她们的一生更多艰难。我们是为了自己而生活着，不是为其他的任何人。尽管我们曾经如此亲密，尽管我们说过不分离，但生命是单独的个体，无论怎样血肉交融，我们必须独自面对世界的风雨。

女人要学会播种，即使是在一个没有收获的季节。女人太习惯以谷穗衡量是否丰收，殊不知有时播种就是一切。开心的钥匙不是挂在山崖上，而是挂在我们伸手可及的地方。

只要你感到是为自己而生活，世界也许就会在眼中变一个样子。写文章，为什么一定要发表？自己对自己倾诉，会使心灵平和。练书法，为什么一定要展览？凝神屏气地书写，就是与天地古今的交融。

教学生，为什么一定要到学校？做善事，为什么一定要别人知晓？

生命是朴素的，它让女人领略了旖旎的风光之后，回归到原始的平静。在这种对生命本质的探讨中，女人更深刻地认识自身的价值。

在生命所有的季节播种，喜悦存在于劳动的过程中。

向大珍珠母贝和好葡萄学习

在大洋洲，生活着一种大珍珠母贝。珍珠是世界上唯一来自活体的生物——牡蛎的宝石，牡蛎已经进化了五亿年。一只勤奋工作的大珍珠母贝，在八年的寿命中，可以繁育出四颗珍珠。随着牡蛎年龄的增长，它所能容纳的珍珠也越来越大。这就是说，到了生命的晚期，这只牡蛎就有可能孕育出它这一生中最大的珍珠。

我希望年老的女人都如同大珍珠母贝，光彩熠熠，也如同厚重铺排的织锦缎，安然华贵，不炫目，但可以收藏。不时抚摸着，粗糙的指肚勾连起陈年的丝缕，带出织就时的润泽。

女人年过三十，就要学会接受自己的容貌走下坡路的这个事实。就像花瓣要接受凋零，越是盛极一时倾国倾城的美丽，越要面对春风不再的年轮变化。首先在理论上不害怕，然后在时间上安然接纳。人出生在这世界上，并不是一件成品。你的很多方面，还有待完善，变老是完善的工序之一。

三毫米的旅程，一颗好葡萄要走十年。这是一句广告语。想想看，一粒吹弹得破的葡萄都如此坚韧不拔，要从一个青葱少女变成睿智妇人，没有几十年的历练，恐也难修成正果——向葡萄好好学习。

上天赐予没有强壮肌肉的女子两样战无不胜的伟大礼物，那就是

思索和时间。

由于气候、智力、精力、趣味、年龄、视力等方面的原因，人的先天平等是永远不可能的。所以，不平等应该被认作颠扑不破的自然规律，但我们可以把这不平等变得不易觉察，就像我们把鱼和熊掌之间的差异慢慢磨平一些——说句实在话，我总觉得鱼和熊掌不在一个数量级上，不知道是不是远古的时候鱼比较少、熊掌比较多。

磨平沟壑，文化和教育能起很大的作用。女子要把学习当成最好的娱乐，学得多了，你就慢慢开始了思考。女子不要视时间为敌人，给自己一个良好的预言，你会惊奇地发现，希望之花一朵朵开放。

生活对女人的要求越来越高，你不但要像袋鼠一样敏捷跳跃寻找食物，还要有一个温暖的育儿袋。

很多受伤的女人像一只疲倦的海鸟，她们飞了那么远的路，在羽翼低垂、嘴角渗血的时候，仍然要不顾一切地回到自己的巢，呵护自己的幼雏。

对这样的女人，我们深深鞠躬。

没有一棵小草自惭形秽

被人邀请去看一棵树,一棵古老的树。大约有五千年的历史,已被唐朝的地震弯折了腰,半匍匐着,依然不倒,享受着人们庄严的注视。

我混在人群中直着脖子虔诚地仰望着古树顶端稀疏的绿叶,一边想,人和树相比是多么的渺小啊。人生出来,肯定比一粒树种要大很多倍,但人没法长得如树般伟岸。在树小的时候,人是很容易就把树枝包括树干折断,甚至把树连根拔起,树就结束了生命。就算是小树长成了大树,归宿也是被人伐了去,修成各种各样实用的物件。长得好的树,花纹美丽木质出众,也像美女一样,红颜薄命,被人劫掠的可能性更大,于是很多珍贵的树种濒临灭绝。在这一点上,树是不如人的。美女可以人造,树却是不可以人造的。

树比人活得长久,只要假以天年,人是绝对活不过一棵树的。树并不以此傲人,爷爷种下的树,照样以累累果实报答那人的孙子或是其他人的后代。

通常情况下,树是绝对不伤人的。即便如前几天报上所载一些村民在树下避雨,遭了雷击致死,那元凶也不是树,而是闪电,树也是受害者。人却是绝对伤树的,地球上森林数量的锐减就是明证,人成了树的天敌。

树比人坚忍。在人不能居住的地方,树却裸身生长着,不需要炉火或是空调的保护。树会帮助人,在饥馑的时候,人扒过树的皮以充饥,我们却从未听到过树会扒下人的什么零件的传闻。

很多书籍记载过这棵古树,若是在树群里评选名人的话,这棵古树是一定名列前茅了。很多诗人词人咏颂过这棵古树,如果树把那些词句都当作叶子一般披挂起来,一定不堪重负。唐朝的地震不曾把它压倒,这些赞美会让它扑在地上。

树的寿命是如此的长久,居然看到过妲己那个朝代的事情。在我们死后很多年,这棵古树还会枝叶繁茂地生长着。一想到这一点,无边的嫉妒就转成深深的自卑。作为一个人活不了那么久远,伤感让我低下头来,于是我就看到了一棵小草,一棵长在古树之旁的小草。只有细长的两三片叶子,纤细得如同婴儿的睫毛,树叶缝隙的阳光打在草叶的几丝脉络上,再落到地上,阳光变得如绿纱一样飘浮了。

这样一株柔弱的小草,在这样一棵神圣的树底下,一定该俯首称臣毕恭毕敬了吧?我竭力想从小草身上找出低眉顺眼的谦卑,最后以失望告终。这棵不知名的小草,毫无疑问是非常渺小的。就寿命计算,假设一岁一枯荣,老树很可能见过小草五千辈以前的祖先。就体量计算,老树抵得过千百万小草集合而成的大军。就价值来说,人们千里万里路地赶了来,只为瞻仰老树,我敢肯定没有一个人是为了探望小草。

既然我作为一个人,都在古树面前自惭形秽了,小草你怎能不顶礼膜拜?我这样想着,就蹲下来看着小草。在这样一棵历史久远声名卓著的古树身边,你岂不要羞愧死了?小草昂然立着,我向它吐了一口气，它就被吹得蜷曲了身子，但我气息一尽，它就像弹簧般伸展了叶脉，快乐地抖动着。我再吹一口气，它还是在弯曲之后怡然挺立。我悲哀地发现，不停地吹下去，有我气绝倒地的一刻，小草却安然。

草是卑微的，但卑微并非指向羞惭。在庄严的大树身旁，一棵微不足道的小草都可以毫不自惭形秽地生活着，何况我们万物灵长的人类！

机遇是心灵的阅兵

在各行各业取得成功的人们,在拥有才情之外,一定还拥有强大的心灵。成功比试的不仅仅是才能,更重要的是韧性。即使没有公认的成功,也要有品尝幸福的能力,这就更取决于心灵的健全,而不仅仅是才能的显赫了。

才能这个东西,比较有办法弥补。只要不是那些需要才思铺天盖地喷如泉涌的事业,就可以用外力来加以补充。大家都知道"勤能补拙"的原则,都知道"笨鸟先飞"的故事,都记得"磨刀不误砍柴工"的诀窍,都会说"百分之一的才能,百分之九十九的汗水"之类的格言,这些都是补偿之法。

不过,世上的成功,除了才能之外,还有机遇。有人以为机遇是一种看不见摸不着的小概率事件,基本上和被闪电劈着差不多,这是误解。

机遇的降临,看起来好像取决于那个执掌机遇的人,领受者不过是被动地承接,其实不然。我们常常听到一个人不是为了名利而帮助别人,却不料那个被帮助的人将一个绝好的机会,赐予了帮助者。我们在羡慕该人轻而易举获得好运的时候,多半忘了他也许曾经这样帮助过很多人,绝大多数都无声无息地湮灭了,只有这一次金光灼灼。

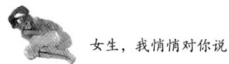

有的人会不遗余力地学习各种知识，这些知识，分散开来，都是普通的学问和技能，无甚出奇，但是当它们密集地集中到一个人身上的时候，就显出了某种非同凡响的优势。

我认识一个小伙子，他学习了驾驶，学习了烹调，学习了英语，学习了会计，最后，还学习了擒拿格斗。怎么样？分门别类地看，都很平凡吧？可你想一想，一个会计，还会武功，英语熟练，开车又稳当，还做得一手好饭……他找到一个给某成功人士当贴身秘书的好工作，是不是顺理成章的事？

机遇其实是对人的心理素质的一次大阅兵。

你能不能抱定了前进的目标，持之以恒，在看不到希望的时候，不气馁不逃避，依然顽强地努力，乐观地积攒自己的力量和本领？

如果你真的能做到这些，机遇的概率就越来越大了。

第六辑

风往哪个方向吹

人在旅途,风向八方。

有人四处走动,是为了寻找一个温暖的地方留下。

有人不断告别,是因为没有谁能挽留他的脚步。

有人不断超越,只因为梦想的指引无法止息。

梅花催

很多人以为爱是虚无缥缈的感情,以为爱在我们的日常生活中,发生的机会十分稀少,以为只有空虚的细腻的多愁善感的人,才会在淋淋秋雨的晚上和薄雾袅袅的清晨,品着茶吹着箫,玩味什么是爱,以为爱的降临必有异兆,在山水秀美之地或是风花雪月之时,锅碗瓢盆刀枪剑戟必定与爱不相关。

还有很多人以为自己不会爱,是缺乏技巧,以为爱是如烹调术和美容术一样,可以列出甲乙丙丁分类传授的手艺,以为只要记住在某种场合,施爱的程序和技巧,比如何时献花何时牵手,自己在爱的修行上,就会有一个本质性的转变和决定性的提高。风行的各类男人女人少年少女的杂志上,不时地刊登各种爱的小窍门小把戏,以供相信这一理论的读者牛刀小试。至于尝试的结果,从未见过正式的统计资料,也无人控告这些经验的传授者有欺诈倾向。想来读者多是善意和宽容的,试了不灵,不怪方子,只怪自家不够勤勉。所以,各种秘方层出不穷,成为诸如此类刊物长盛不衰的不二法门。这也从一个侧面说明,多少人求爱无门,再接再厉屡败屡试。

爱有没有方法呢?我想,肯定是有的。爱的方法重要不重要呢?我想,一定是重要的。但在爱当中,最重要的不是方法,而是你对于爱的理解和观念。

你郑重地爱，严肃地爱，欢快地爱，思索地爱，轻松地爱，真诚地爱，朴素地爱，永恒地爱，忠诚地爱，坚定地爱，勇敢地爱，机智地爱，沉稳地爱……你就会派生出无数爱的能力，爱的法宝，爱的方法，爱的经验。

爱是一棵大树，方法是附着在枝干上的蓓蕾。

某年春节，我到江南去看梅花。走了很远的路，爬了许久的山，看到了无边无际的梅树。只是，没有梅花。

天气比往年要冷一些，在通常梅花怒放的日子，枝上只有饱涨的花骨朵。怎么办呢？只有打道回府了。主人看我失望的样子，突然说，我有一个办法，可以让梅花瞬时开放。

我说，真的吗？你是谁？武则天吗？就算你真的是，如果梅花也学了牡丹，宁死不开你又怎样呢？

主人笑笑说，用了我这办法，梅花是不能抵挡的。你就等着看它开放吧！

她说着，从枝上折了几朵各色蓓蕾（那时还没有现在这般的环保意识，摘花——罪过），放在手心，用热气暖着哈着，轻轻地揉搓……

奇迹真的在她的掌心，缓缓地出现了。每一朵蓓蕾，好似被魔掌点击，竟在严寒中，一瓣瓣地绽开，如同少女睡眼一般睁出了如丝的花蕊，舒展着身姿，在风中盛开了。

主人把花递到我手里，说好好欣赏吧。我边看边惊讶地说，如果有一只巨掌，从空中将这梅林整体温和揉搓，顷刻间就会有花海涌动了啊！

主人说，用这法子可以让花像真的一样开放，但是……

她的"但是"还没有讲完，我已知那后面的转折是什么了。如此短暂的工夫，在我手中蓬开的花朵，就已经合拢熄灭，那绝美的花姿如电光石火一般，飘然逝去。

怎么谢得这么快？我大惊失色。

因为这些花没有了枝干。没有枝干的花，绝不长久。主人说。

回到正题吧。单纯的爱的技术，就如同那没有枝干的蓓蕾，也许可以在强行的热力和人为的抚弄下，开出细碎的小花，但它注定是短命和脆弱的。

我们珍视爱，是看重它的永恒和坚守。对于稍纵即逝的爱，我们只有叹息。

爱在什么时候，都会需要技术的，而且这些技术，会随着历史的进程，发展得更完善和周到。同时我们无论在任何时候，都更看重那技术之下的，深埋在雄厚土壤中的爱的须根。

如果你需要长久的致密的坚固的稳定的爱，你就播种吧，你就学习吧，你就磨炼吧，你就锲而不舍地坚持求索吧。爱必将降临在每一个真诚寻找它的眸子里。

古早味道的冬瓜茶

甘蔗汁、青草茶、冬瓜茶……台湾到处都有卖手工制作的饮料，斜插着牌子，上书"古早味"。顾名思义，"古早"，就是古老和早先的意思吧。是这样的吗？我问当地人。

当然，你这么拆开来从字面上看起来说，大意是不错的。但我们本地人说起"古早"的时候，有一种妈妈的味道、家常的味道，甚至是祖婆婆的味道含在里面。总而言之，就是民间用平凡朴素的材料，简简单单的手工压榨熬煮出来的味道，与现代人用机器和化学配方勾兑出来的饮料大不同。这样说吧，古早味道，就是可乐啊雪碧啊等饮料的反义词。

深究起来，有人说"古早味"这个名称来自台湾俚语，有人说是闽南语。它代指一种渐渐消失的古老味道，应该是没有异议的。

台南的窄巷，挂着淡墨书写的冬瓜茶招牌，竖体，繁体，笔画有一点潦草柔弱，恰像伏地而生的冬瓜蔓。寥寥几笔，深有民国的味道。长条板凳，凳面油润并稍有凹陷，无数人的衣裤摩擦过，有了类似古董的包浆。十元新台币（合人民币两元）买上一杯，坐在那里，用吸管慢慢地把一种冰凉而微甜的液体，抽吸到口腔。它在舌面和牙床内外绕着圈，直到不再冰冷，才打个转儿，轻缓入胃。

在距离我不远的地方，有一大堆硕大的冬瓜，如同穿旧军服的小童般站着卧着，身上绿绿的绒毛中，埋有墨染的字迹，比如"28"、"32"等。这是些什么记号呢？我假装自言自语道：是怕冬瓜丢了，编着号？

我是说给在一旁的用竖刀刮冬瓜皮的老者听的。他用粗糙的手把一颗颗冬瓜扶正，然后像揩脸一样把剃刀从冬瓜的头上蹭下来，一条长长的冬瓜皮就飘垂了，好似淡绿色的围巾。冬瓜露出了青白色的内瓤，如一尘不染的小沙弥。

如果他不理我，我只有闷着头喝完自己的冬瓜茶，讪讪走人。

他应话了。哪里是怕偷，那写的是冬瓜的斤数，算账用的。

他搭理了我，我欣喜了。说，你们家用的冬瓜可真大啊，这么齐整，一定都是特地订购的。

大约有七十岁的师傅，头也不抬，手脚麻利地刮着冬瓜皮，说，是啊，熬冬瓜茶的冬瓜是越老越好，必得要二十斤以上的冬瓜。如果不提前订下，人们在冬瓜还很嫩的时候就把它摘下来，做了汤或是菜，就没有这甘甜的冬瓜茶了。

我说，冬瓜茶要熬很久吧？

他抬起头，抻了抻弯弓的腰，说，是的，很久。

我指望着他说出个具体时间，比如三小时或是一天甚至更久，可是他不再答话。

我猛然醒悟到，哦，关于时间，可能是个秘密。

我问刮皮师傅，您这家茶店开了多久了？

老人可能因了刚才的拒不理睬我有些内疚，特别热情地回答，五十多年了。

我说，一直用一样的方法熬制冬瓜茶吗？

他非常自豪地说，一直的，从没有变过。有些人就是喜欢这个味道，搬家到台北去了，有时还会回来找这个茶喝。一买就好大一瓶，说是回家后放到冰箱冰格里冻，喝过金门高粱之后，用冬瓜茶冰块兑水，加上一片柠檬，清爽又醒酒。我每次都劝他，不要买那么多，没有防腐剂，放不了很久啊……那人说，一碗好的冬瓜茶和一件好首饰一样，是值得收藏的。

连这种卖东西的风格，都是古早味的。

古早时，我们是酒好不怕巷子深的，不像如今，广告铺天盖地先声夺人。古早时，我们是言无二价童叟无欺的，不像现在有那么多的水分和营销策略，看人下菜碟。古早时，我们是将心比心一诺千金，不像现在一锤子买卖，做砸了就改头换面重整山河……

古早就像童年，记忆让我们滤掉了忧伤，只剩下明媚温暖的春光。

或许的，古早本身并不那样美好，但在我们的表达中，指的是那种干净简单朴素没有雕饰的味道。它删繁就简洗尽铅华，安然自在谦逊宁静。

古早不是严格的历史，只是略带暧昧的记忆之痕。比如若是要问古早究竟是前后多少年呢?五十年前?一百二十年前?抑或更早?我猜一定是答不上来的。每一代人都有自己的"古早",铭记在心,不经意的时刻,会被深深触动。情绪,是沉淀在骨缝里的,溢出则在眼角。

古早是崇尚自然的,因为那时的人们牢记着谁是我们的衣食父母。古早是缓慢的,凡是美好的东西都是缓慢的。我曾参观过制作爆竹烟花的作坊。甚至连烟花这种风行霹雳惊艳骇俗的东西,爆发时快到一眨眼的物件,早年间的诞生过程也依然是悠长细慢的。单是糊出来一个红彤彤的爆竹身,也要裁纸、扯筒、褙筒、洗筒、腰筒、上筒、钻孔、扦引、扎引颈、结鞭……十几道工序,慢得令人心焦。爆竹完成后的俊美模样,你会觉得一瞬间让它灰飞烟灭是何等暴殄天物。

扯远了,还是来说冬瓜茶。它妙就妙在虽然是低微的冬瓜熬出来的,但你绝对喝不出冬瓜的味道,而是沁人心脾的柔和。它并不像做菜肴时,需要猪肉羊肉的丸子陪衬着提高身份。此茶仅一味,回甘悠远,独步天下。

我看到对面街角处,有卖各种西式罐装饮料的,花团锦簇。再看手中软软塑料杯装的冬瓜茶,黑乎乎如同一味中药,问老人说,如今竞争激烈,冬瓜茶的生意可好做?

他手脚麻利操作着,头也不抬地回答,冬瓜味甘而性寒,可以去烦躁、解热毒、降胃火,还外带消炎。古书中更有说它——好颜色益气不饥,久服轻身耐老。现在什么东西只要一沾上美容和长寿,就有人哭爹喊娘地赶来喝。

我说,不管是不是真有效,反正是没有害处的。

老人家实在且倔,挥舞着瓜皮刀说,也不能说冬瓜茶喝多少都没

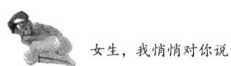

有坏处，如果是脾肾虚寒面色白肿的人，就不能喝。说是美容，其实哪个美女是靠冬瓜茶养出来的？我喝了一辈子的冬瓜茶，该老还老！不过是个彩头吧。

我说，您这样说，不怕吓走客人？

老人呵呵一笑说，吓不走的。冬瓜茶有一个妙用，专治现代人的病根子。这个病一时半会儿是好不了的，冬瓜茶的市场，它们……他用干瘦的下颌轻轻点了一下对面的饮料摊——哪里是对手呢。

这我倒不明白了，现代人是得了什么病，需要这古早味的冬瓜茶来医？

老人家看我纳闷的模样，自己反倒急了，迫不及待地说，上火啊！现代的人火气比从前大多了，西式饮料没有一样是败火的。火一天比一天大，喝冬瓜茶的人就会一天比一天多。我们就要开连锁店了，古早味的。说着，他把一长溜冬瓜皮嘶啦刮下来，软软垂着，像一条新刷出的绿色标语。

我咕咚咚把冬瓜茶喝下去，脏腑里原来无火，此刻更是安宁如冰。想起甘地的一句话："真正尝到滋味的，是心情而非舌头。"

远方有故事

旅行不管远近,是需要理由的。旅行最普遍的理由——远方有故事。

小时候,都喜欢听故事。"在很久很久以前,在很远很远的地方……"我们瞪大了眼睛,随着颤抖的声音,幼稚的脑,被故事勾引着,插上翅膀,飞向远方。在我们懵懂的小心眼里,第一次产生了惆怅。为什么好玩的事情都发生在远方?有趣的人,都生活在很久之前?对于时间和地点的不确定性,是为了留有更多发挥想象和虚构的空间。从幼年时代,就对远方充满了期待。如果我们没能满足愿望,总会觉得那原因是自己走的还不够远。就算把整个世界都走了一圈,你还会把目光投向遥远的宇宙。这可是一个没边没沿的空间,你渺小的生涯,穷尽永世也走不到头……

第二个原因,为了看到不同的景物,激发自己的荷尔蒙。远方是魔术师。你在熟悉的地方,很少能发生新奇的思索。尽管有很多人说,他们的发现是在床上昏睡的时候,半梦半醒中灵感来拜访,但我还是顽固地认为,那些想法的胚胎,还是来自走动的步伐、驰骋的飞马、腾云驾雾的机器等等快速移动的时刻。这时你的身体在变化,却又不需要太费力,最有利于荷尔蒙的分泌,分泌出来又无需补充到身

体的肌肉里发动兴奋，那就只有兴奋大脑了。大的思考需要大的舞台，大的背景。旅行会逼着我们看名山大川，看万米高空上的雄阔景致，看奔涌不息的大海……这都将强有力地刺激我们的思维。

在我们的身体里，栖息着一个奇怪的悖论。身体是属于自己的，这一点毫无疑问。可是身体里寄居着一个我们不认识、不能控制的陌生人，它大模大样地反客为主，操控着我们的方方面面。它不高兴了，我们就会生病。它昏聩了，我们的免疫系统就敌我不分，乱杀乱砍自己人。它擅离职守，就无法识别入侵的毒菌和伤害，反倒认敌为友，养虎为患，酿出大祸。它若是一发脾气开始捣乱，要命啊，人干脆就崩溃，出现各种致死的问题。

我们对自己躯壳内的这位霸主，急不得恼不得，匍匐听命。你束手无策，只有听从它有时聪慧有时奸佞的安排。最糟糕的就是，你会被它稀里糊涂地要了命。一位罹患抑郁症的人说，他每天最重要的事儿，就是要和突如其来涌上心头的自杀念头做斗争。不知道这种念头是从身体里的哪儿生出来的，但它毫无疑问来自我的身体里，最深的部分，我所不了解的部分。它很阴险地躲在一个角落里，冷不防地冲出来，有时是半夜，有时是大中午的。它不怕黑，也不怕风和阳光，它自有自己行动的规律，是一个魔鬼。它要置我于死地。为了不被它杀死，我在通往晾台和窗户的路上，放置了很多障碍物，比如沙发水盆一摞摞的旧书……搬动起来费劲费功夫。这样在它命令我去死的时候，我不得不搬走这些杂物，才能到达窗户和晾台上，这需要时间，而时间有可能让我清醒。你知道，窗户和晾台，是抑郁症病人最方便谋杀自己的地方，它们是断头台。你记住，只要听到有人坠楼，最大的可能就是被心里的魔鬼所谋杀。你想啊，哪怕什么凶器都没有,我们还有地心引力,还有重力,还有加速度,它们加在一起,就可以很方便地杀死我们。它来自我身体里的荷尔蒙,它是一个妖怪……

旅行会让你到一个和现实的生活有很大反差的地方,这样你的五官和所有的神经末梢就开动起来,古老的生存法则就开始运作。你看到新的景物,听到新的声音,闻到不同的气味,连空气的冷暖都是不同的,机体就紧急动员起来,不再像破抹布萎靡不振。

有人说,旅游是为了追寻某种在社会里已经遗失的东西。听起来很令人神往,顺着脉络再追问下去,找到了,看见了,又怎样呢?你带得回来吗?如果只是惊鸿一闪,那这种见与不见,又有多大区别呢?也许持这种观点的朋友会说,毕竟,我见过了,我知道了。我以为已经不存在的美德,在远方还延续着。对不起,我还想继续追问,然后又怎样呢?我很希望这个回答是,不仅仅是追寻,而且是重新恢复和建造。是一种道德基因的复活。

有人说,为了看遍世间奇事奇景。世上的奇事美景无穷尽,你注定永远也看不完。如果你把出行的目标,定在这个标尺上,那这支枪还没有击发,就偏离了靶心。一句"看遍",已是多量的幼稚加上少许的狂妄混合而成的辛辣鸡尾酒。而且,到底什么是"奇"什么是"美",世人并没有统一的标准。你还没有出发,目的地已经模糊不清。最要命的是当你看多了事件和景致之后,你兴奋的阈值就会越提越高,你有可能变得不耐烦和迟钝起来。有句俗话叫作"见怪不怪",又说是"熟视无睹",讲的都是这个冷酷的规律。

绕了半天的圈子,其实又回到咱们那个有关荷尔蒙分泌的话题了。不要总是求奇求怪求险,那样会让我们的神经系统不堪重负,最后养成了病态的兴奋模式。模式这个东西很可怕，它比习惯还霸道。习惯是表面就可以看到的，你觉得不好，下决心改变就是了。模式是潜藏在我们的心里、肉里、神经纤维里……你意识不到，它就在那里发生作用了，一系列的举措就不动声色地完成了。

有时候是不为了什么，就是想去走走。我听到一个美丽的女孩子这样说，觉得很真实。不知所以然，乏味，又找不到振奋自己的精神的出口，那么，到外面走走，不失为一个冠冕堂皇顺理成章的理由。在这个过程中，很多人的内分泌机制受到了奇特环境的刺激，进入了新的应激状态，被迫振作而阳光起来。

有朋友说，旅行是一种学习，它给你用一双婴儿的眼睛去看世界，去看不同的社会，让你变得更宽容，让你理解不同的价值观，让你更好地懂得去爱、去珍惜。旅行让你以另外一种身份开始一种新的生活，进行新的尝试，让你重新发现自己。在发现社会的同时，也寻找到了自我。喜欢这种说法，既理智又有感情。

风往哪个方向吹
（外二则）

在我们每个人的心里，都有一个恐惧、害怕的场。这个场太大，会使我们畏畏葸葸，太委屈了自己的岁月；这个场太小，又容易人在边缘，演不出该上演的节目。人们就是在这种矛盾心理中不断地寻求安全感，不断地寻求归属感。

归属，是人的第二生命。这是早期人类社会遗留给我们的集体无意识，谁也无法抗拒。当然了，从那时到现在，许多年过去了，我们已经不怕被踢出一个山洞而无法生活，但恐惧依然强大的存在于每一个细胞之中，甚至能彻底动摇我们的自信。

我们多么希望自己归属于某个群体，比如家庭、单位、某个协会、某个团体，也就是我们俗话说的"物以类聚，人以群分"。有了归属感我们能够从中得到帮助和爱，以证明自己的身份。缺了归属感，人们就会对自己所从事的行业缺乏激情，没有办法任劳任怨，人际交往缺乏，业余爱好单调。

最重要的是，没有归属感的人缺乏责任感，他们就像漂浮的浮萍，没有根基，没有方向。当风浪压力袭来的时候，他们脆弱不堪，随时有可能沉没。

人在旅途，风向八方。有人四处走动，是为了寻找一个温暖的地方留下。有人不断告别，是因为没有谁能挽留他的脚步。有人不断超越，只因为梦想的无法止息。

沙尘暴里也有鱼子

很多人衣橱里的婚纱还熠熠生辉，婚姻已被蠹出千疮百孔。到底哪里出了差错？可否有婚姻的樟脑丸，能让我们保持关系的整洁与清新？情感的寄生虫为什么会成长？

我听过一个来自农村的朋友讲过一个故事。他说家乡有一片黄土地，在一次暴雨成灾之后，就变成了水塘。第二年，水里长出了鱼。他咬牙跺脚地说，从来没有任何一个人往池塘里撒过鱼苗，那里离海洋和其他的鱼塘也非常遥远，决不会有什么鱼子能跋山涉水地找到这里安家落户。真是怪了，这些鱼子是从哪里来的呢？他啧啧称奇。

我当然没有法子为他提供答案，我对鱼的了解，只限于在超市和自由市场看到它们。不过，我记住了这个疑问，一次看到一位渔业专家，赶忙请教。

他很平静地说，在黄土里，就有鱼的种子。

我说：那些干燥的黄土只能变成沙尘暴。

渔业专家说，这不妨碍鱼的种子藏在里面。沙尘暴里也有鱼子，等到适宜的时候，变成一条鱼。

我说，这么说，在我们周围，到处都有鱼的种子？桌子上？地板上？

专家说，理论上，可以这么讲吧。

所以，让我们婚姻腐败变质的种子，无处不存在。防不胜防，堵不胜堵。所以，你不必奇怪蛀虫从哪里而来，所有的土地中，都有鱼的种子，也都有蛀虫的种子。

要知道爱如蚕丝般光滑圆润，微凉易断。经常把你的婚纱拿出来晾晒，经常和你的伴侣保持亲密无间的接触，这就像让高原永远干燥一样，鱼就没有法子摆动双鳍。

留一罐回忆的泡泡糖

回忆是个很奇妙的东西，如果是回忆幸福，那就好比一罐子泡泡糖；如果是回忆苦闷，就是嚼了金鸡纳树皮（据说这种树皮很苦）。

负面的回忆一开始，赶紧打住。因为每个人内心的能量，并不像我们想象的那般强大。不要制造剑拔弩张的险情，考验我们饱经磨砺的灵魂。我们的情绪依循着单向的轨道，由俭入奢易，由奢入俭难。

我们常常会说，等待时间吧，时间可以愈合一切。但时间并不能解决所有的问题，没有处理过的负面回忆，就像是用冰雪掩埋的尸体，一旦表面的冰雪被风暴吹走或是消融，尸体就会重新栩栩如生的显现，打我们一个措手不及。

请你有意识地将这些回忆重新拾起，破碎的将它黏合，只看到反面的把正面的也翻过来瞅一瞅，搞错了的重新恢复原状。最主要的是赋予它们不同的解释和意义，你的伤口才有可能真正的愈合。而另外一些伤口，用羊肠线不能缝合，用止血钳不能锁闭，用皮肤不能覆盖，只能犹如鱼嘴般敞开着，直到墓土将它掩埋。

但无论表面上我们如何伤痕累累，一蹶不振，破败不堪，我们依然是有价值的,这个价值与生俱来,谁也剥夺不走。除了你自己,没有任何人可以让你贬值。我们不能改变已经发生的事情,但可以改变这些事件对我们的影响。不要让过去,破坏我们享受眼前美好快乐的能力。

生命中的痛苦就像盐,看你把他溶解在一个多大的容器中。如果放入一只袖珍的奶锅,完蛋了,你会被腌成酱菜。如果是海洋,那便云淡风轻了。

九芒星的钥匙

有一个古老的传说,在宇宙中有一颗闪着九束霞光的星辰,叫作"九芒星"。九芒星是天堂的所在,人类如果最后抵达了那里,就会健康快乐,充满力量。九芒星有一枚钥匙,当众神缔造完了人类的那天傍晚,他们聚在一起,商量着把这枚伟大的钥匙究竟藏在哪里,既不能让人类很轻易地找到,也不能让人类总也找不到,永远浸泡于痛苦之中。

争论半天,有的说,把九芒星的钥匙扔入大海之峡,有的说,埋在雪山之巅,有的说,干脆裹进太阳的肚子里……但众神一想,这些地方随着人类的科技发达,总是可以找到的。讨论了很久,最后众神统一了意见,把九芒星的钥匙种在一个最好找又最不好找的地方,那就是——人类的心田。

众神很得意。这个地方,人类在最初的时候,是绝对想不起去寻找的。当他们搜遍天空海洋的每一朵云彩和每一粒水珠,踩踏了地球上的每一寸土地,还未曾找到天堂的钥匙的时候,也许他们会惆怅而思索地低下头来,察看自己的内心吧?

在每个人的星空,都有一颗九芒星。在每一颗九芒星的上面,都

建有一座快乐的天堂。在每一座天堂的墙壁上，都镶着一扇需要打开的门。在每个人的心中，都藏着一枚九芒星的钥匙。

寻找你的九芒星钥匙吧。找到了，快乐和力量就像瀑布，从此充满了你的血脉。

常常爱惜

拾起一穗遗落在秋天原野上的麦芒时,我们心中会涌起一种情感……

当水龙头正酝酿着滴落一颗椭圆形的水珠,一只手紧紧拧住闸门时,我们心中会涌起一种情感……

当凝望宝蓝的天空因为浓雾而浑浑噩噩时,我们心中会涌起一种情感……

当注视到一个正义的人无力捍卫自己的尊严,孤苦无助的时候,我们心中会涌起一种情感……

人类将这种痛而波动的感觉命名为——爱惜。

我们读这两个字的时候,通常要放低了声音,徐徐地从肺腑最柔软的孔腔吐出,怕惊碎了这薄而透明的温情。

爱惜的大前提是,爱。爱是人类一种最珍贵的体验,它发源于深刻的本能和绵绵的眷恋。爱先于任何其他情感,轻轻沁入婴儿小而玲珑的心灵。爱给予生命的母亲,爱那清冷的空气和滑润的乳汁,爱温暖的太阳和柔和的抚爱,爱飞舞的光影和若隐若现的乐声……

爱惜的土壤是喜欢。当我们喜欢某种东西的时候,就希冀它的长久和广大,忧郁它的衰减和短暂。当我们对喜爱之物怀有难以把握的忧虑时，吝啬是一个常会首选的对策。我们会俭省珍贵的资源，我们会珍爱不可重复的时光，我们会制造机会以期重享愉悦，我们会细水长流反复咀嚼快乐。

于是，爱惜就在不知不觉中发生了。

当我们爱惜的时候，保护的勇气和奋斗的果敢也同时滋生，真爱，需用生命护卫，真爱，就会义无反顾。没有保护的爱惜，是一朵无蕊的鲜花，可以艳丽，却断无果实。没有爱惜保护，是粗粝和逼人的威迫，是强权而不是心心相印。

爱惜常常发生，在我们不经意的时候，打湿眼帘。

爱惜好比一只竹篮，随着人生的进步，它越编越大了，盛着人自身，盛着绿色，盛着地球上所有的物种，盛着天空和海洋。

变化的哀伤

变化无穷。从蛹到蝶,从蚕到蛾,从矿石到金属,从少年到成人。

变化是一个过程,其间充满危险。小时逮过知了的幼虫,就是民间俗称的"马猴",黑褐板结的外壳,锋利的脚爪,佝偻着,苍老丑陋。傍晚,我把它扣在盆子里,清晨打开,看到一只晶莹剔透的蝉,绡纱般的羽翼正由鹅绿飘向清咖啡色,一旁抛着它僵硬的袈裟。我很想看到蝉从壳中钻出的一刹那。第二日,克制着困倦,以一个少年最大的忍耐,在半夜三点的时候,猛地打开了陶盆。蝉正艰难地蜕变着,挣扎着,背脊开裂,折叠的翅膀如同尚未发好的豆芽,湿淋淋蜷曲着。我动了恻隐之心,用手指撕开蝉的外壳,帮助它快些娩出……之后我心满意足地睡觉去了。早上当我以为能看到一名不知疲倦的流行歌手时,迎接我的是枯萎的尸体。

变化是一个过程,哪怕它曾是我们久久的渴望,都携带着深深的哀伤。因为我们旧有的熟悉的一部分,在变化中无可挽回地丢失了,遗下点点血迹,如同我们亲手截断了自己的一臂。我们只有用留下的那只温热的手,执着渐渐冷却的手,为它送行。一个稚嫩的我们不熟悉的新肩膀,正艰难地植入我们的躯体。伤口在出血,磨合很苦涩,但生机勃勃的变化就在这寂静和摩擦中，不可扼制地绽放了。

我们在变化中成长。如果你拒绝了变化，你就拒绝了新的美丽和新的机遇。变化使我们成熟，但它首先使我们痛苦。人生中最重要的变化，一定伴随着大的焦灼和忧虑，甚至可以说，如果没有蚀骨销魂的痛，变化就不够清醒和完整。

痛苦是变化装扮的鬼脸——一个无所不在的先锋。

风的青睐

四百年前的法国人蒙田,说过这样一句话——风不会对漫无目的者有所青睐。"青睐"是指一个人用黑眼珠子看着你。这是一句否定句,意思是假如你有了坚定的目标,整个大自然将会帮助你。

风是什么呢?风是一股看不见摸不着的力量。风吹的时候,影响着我们,逆风或是顺风,对我们的速度和方向都有强烈的影响,就连飞机的钢铁巨翅,也不敢对风等闲视之。

人生的目的很重要。这个目的是谁给我们预定的呢?没有人。你的父母、你的师长、你的朋友,都可能参与你的目的的制定,但他们不是决定力量,最后的赞成或是否决票,在你手里。如果你对自己说,我才不要什么人生的目的这种奇怪的东西,那么,你也是有一个目的了,那就是"虚无"。

一个没有方向感的人,如何行走呢?看看醉汉就明白了。跟跟跄跄、东倒西歪、昏乱嘟囔着,没有人知道他要到哪里去,更不知道他的归宿在何方……有着这种精神的吉普赛人,终身流浪在灵魂的荒原。

还有一些人,把某种流行的腐朽说法或是误区当成了自己的目的。这种"镜花水月"的伪目标,只能引诱感官的堕落和本能的

麻痹。

目的通常是阔大的、依稀的，但它确实存在着，一如晨曦。你从未摸到晨曦，但你每天都可以看到它。即使乌云蔽目的时候，你也坚忍不拔地确信，在高远之处，晨曦依然发出温暖的红色光芒。

一个有目的的人，走路的姿势是向前的。他们通常不会在跌倒之后太长久地抚摸伤痛，短暂的昏厥之后迅速清醒，用身边的树枝或是草叶捆扎好伤口，就蹒跚着上路了。他们走得慢，但很坚定，不会因为风险而避开既定的方向，也不会为路边一些小的花果而长时间地流连忘返。当然也有痴迷和混沌的时候，但他们能够重新恢复思考，从容向前……

风的青睐，是无价的礼物。只要你坚定地确立了自己的目标，努力下去，就会发现天地万物都来帮你了。

鱼在波涛下微笑

心在水中。水是什么呢?水就是关系。关系是什么呢?关系就是我们和万物之间密不可分的羁绊。它们如丝如缕百转千回,环绕着我们,滋润着我们,营养着我们,推动着我们,同时,也制约着我们,捆绑着我们,束缚着我们,缠绕着我们。水太少了,心灵就会成为酷日下的撒哈拉。水太多了,堤坝溃塌,心也会淹得两眼翻白。

人生所有的问题,都是关系的问题。在所有的关系之中,你和你自己的关系最为重要,它是关系的总脐带。如果你处理不好和自我的关系,你的一生就不得安宁和幸福。你可以成功,但没有快乐。你可以有家庭,但缺乏温暖。你可以有孩子,但他难以交流。你可以姹紫嫣红宾朋满座,但却不曾有高山流水患难之交。

你会大声地埋怨这个世界,殊不知症结就在你自己身上。

你爱自己吗?如果你不爱自己,你怎么有能力去爱他人?爱自己是最简单也是最复杂的事情。它不需要任何成本,却需要一颗无畏的灵魂。我们每个人都是不完满的,爱一个不完满的自己是勇敢者的行为。

处理好了和自己的关系,你才有精力和智慧去研究你的人际关系，去和大自然和谐相处。如果你被自己搞得焦头烂额，就像一个五内俱空的病人，哪里还有多余的热血去濡养他人！

　　在水中自由地遨游，闲暇的时候挣脱一切羁绊，到岸上享受晨风拂面，然后，一个华丽的俯冲，重新潜入关系之水，做一条鱼在波涛下微笑。

思想与心灵的感悟

保持惊奇,我常常这样对自己说。它是一眼永不干涸的温泉,会有汩汩的对于世界的热爱,蒸腾而起,滋润着我们的心灵。现代社会令人眼花缭乱,每个人在某种意义上说都是孤陋寡闻的。你在你的行业里是专家里手,在其他领域里可能完全是白痴。这不是什么令人羞愧的事情,坦率地流露惊奇,表示自己对这一方面的无知以及求知的探索,是一种可嘉的勇气。

幸福就是没有痛苦的时刻,它出现的频率并不像我们想象的那样少。人们常常只是在幸福的金马车已经驶过去很远,才拣起地上的金鬃毛说,原来我见过它。

丰收的季节,先不要去想可能的灾年,我们还有漫长的冬季来得及考虑这件事。我们要和朋友们跳舞唱歌,渲染喜悦。既然种子已经回报了汗水,我们就有权沉浸幸福。不要管以后的风霜雨雪,让我们先把麦子磨成面粉,烘一个香喷喷的面包。

如果你一时分辨不出一个人的品行,就去看他怎样花钱。一掷千金的是纨绔和诗人,量入为出的是管家和主妇,张弛有序的是大家和智者,首尾不顾的是愚妇和莽汉……假如他根本就不花钱,除了极端的悭吝,就是一个缺乏生活情趣的人。

每个人都会有伤口，有的人愈合得天衣无缝，有的人留下累累疤痕，这当然和利物刺进的深浅有关了。但我们经常看到，有的人，在受到深刻的创伤之后，仍然完整光滑，有的人，在小小不言的刺激下，就面目全非了。在医学上，后一种人有一个特殊的名称，叫作——"疤痕体质"。愿我们每一个人都不是意志上的疤痕体质。我们可以受伤，我们可以流血，但我们要在最短的时间里，医治好自己的伤口，尽可能整旧如新。

当我们患病的时候，精神是一片深秋的旷野，无论多么轻微的寒风，都会引起萧萧黄叶的凋零，让我们像呵护水晶一样呵护病人的心灵。

生命的燧石在死亡之锤的击打下，易于迸溅灿烂的火花。死亡使一切结束，它不允许反悔。无论选择正确还是谬误，死亡都强化了它的力量。尤其是死亡的前夕，大奸大恶，大美大善，大彻大悟，大悲大喜，都有极淋漓的宣泄，成为人生最后的定格。

今世的五百次回眸

佛说,前世的五百次回眸,才换来今生的擦肩而过。顿生气馁,这辈子是没得指望了,和谁路遇和谁接踵,和谁相亲和谁反目,都是命定,挣扎不出。特别想到我今世从医,和无数病患咫尺对视。若干垂危之人,经我手治,每日查房问询,执腕把脉,相互间凝望的频率更是不可胜数,如有来世,将必定与他们相逢,赖不脱躲不掉的。于是这一部分只有作罢,认了就是。但尚余一部分,却留了可以掌握的机缘。一些愿望,如果今生屡屡瞩目,就埋了一个下辈子擦肩而过的伏笔,待到日后便可再接再厉地追索和厮守。

今世,我将用余生五百次眺望高山。我始终认为高山是地球上最无遮掩的奇迹。一个浑圆的球,有不屈的坚硬的骨骼隆起,离太阳更近,离平原更远。它是这颗星球最勇敢最孤独的犄角。它经历了最残酷的折叠,也赢得了最高耸的荣誉。它有诞生也有消亡,它将被飓风抚平,它将被酸雨冲刷,它将把溃败的肌体化作肥沃的土地,它将在柔和的平坦中温习伟大。我不喜欢任何关于征服高山的言论,以为那是人的菲薄和短视。真正的高山是不可能被征服的,它只是在某一个瞬间,宽容地接纳了登山者,让你在它头顶歇息片刻,给你一窥真颜的恩赐。如同一只鸟在树梢啼叫,它敢说自己把大树征服了吗?山

女生，我悄悄对你说

的存在,让我们永葆谦逊和恭敬的姿态,知道在这个世界上,有一些事物必须仰视。

今世,我将用余生一千次不倦地凝望绿色。我少年戍边,有十年的时间面对的是皑皑冰雪,看到绿色的时间已经比他人少了许多。若是因为这份不属于我选择的怠慢,罚我下辈子少见绿色,岂不冤枉死了?记得在千百个与绿色隔绝的日子之后,我下了喀喇昆仑山,在新疆叶城突然看到辽阔的幽深绿色之后,第一反应竟是悚然,震惊中紧闭了双眼,如同看到密集的闪电,眼神荒疏了忘却了这人间最滋润的色彩,以为是虚妄的梦境。就在那一瞬,我皈依了绿色。这是最美丽的归宿,有了它,生命才得以繁衍和兴旺。常常听说地球上的绿地到了××年就全部沙化了,那是多么恐怖的期限。为了人类的长盛不衰,我以目光持久地祷告。

今世,我将用余生一万次目不转睛地注视人群。如果有来生,我

期望还将成为他们之中的一员，而不是其他的什么动物或是植物。尽管我知道人类有那么多可怕的弱点和缺陷，我还是为这个物种的智慧和勇敢而赞叹。我做过一次人类了，我知道了怎样才能更好地做人。做人是一门长久的功课，当我们刚刚学会了最初的运算，教科书就被合上，卷子才答了一半，收卷的铃声就响了，岂不遗憾？

把自己喜欢的事一一想来，我还要看海看花，看健美的运动员看睿智的科学家，看慈祥的老人和欢快的少女，当然还有无邪的小童。突然就笑了，想我这余生，也不用干其他的事了，每天就在窗前屋后呆呆地看山看树看人群吧，以求个来世的擦肩而过。这样一路地看下去，来世的愿望不知能否得逞，今生的时光可就白白荒废了。于是决定，从此不再东张西望，只心定如水，把握当前。

不为虚缈的擦肩而过，而把余生定格在回眸之中。喜欢山所表达的精神，就游历和瞻仰山的英拔和广博，期望自己也变得如此坚强。喜欢绿色和生命，喜爱人的丰饶和宝贵，就爱惜资源，尊重自己也尊重他人。

跋 · 珍惜泥沙俱下的生活

有年轻人问，对生活，你有没有产生过厌倦的情绪？

说心里话，我是一个从本质上对生命持悲观态度的人，但对生活，基本上没产生过厌倦情绪。这好像是矛盾的两极，骨子里其实相通。也许因为青年时代，在对世界的感知还混混沌沌的时候，我就毫无准备地抵达了海拔五千米的藏北高原。猝不及防中，灵魂经历了大的恐惧，大的悲哀。平定之后，也就有了对一般厌倦的定力。

面对穷凶极恶的高寒缺氧，无穷无尽的冰川雪岭，你无法抗拒人是多么渺小，生命是多么孤单。你有一千种可能性会死，比如雪崩，比如坠崖，比如高原肺水肿，比如急性心力衰竭，比如战死疆场，比如车祸枪伤……但你却在苦难的夹缝当中，仍然完整地活着，而且，只要你不打算立即结束自己，就得继续活下去。

愁云惨淡畏畏缩缩的是活，昂扬快乐兴致勃勃的也是活。我盘算了一下，权衡利弊，觉得还是取后种活法比较适宜。不单是自我感觉稍愉

快,而且让他人(起码是父母)也较为安宁。就像得过了剧烈的水痘,对类似的疾病就有了抗体,从那以后,一般的颓丧就无法击倒我了。我明白日常生活的核心,其实是如何善待每人仅此一次的生命。如果你珍惜生命,就不必因为小的苦恼而厌倦生活。因为泥沙俱下并不完美的生活,正是组成宝贵生命的原材料。

他又问,你对自己的才能有没有过怀疑或是绝望?我是一个"泛才能论"者——即认为每个人都必有自己独特的才能,赞成李白所说的"天生我材必有用"。只是这才能到底是什么,没人事先向我们交底,大家都蒙在鼓里。本人不一定清楚,家人朋友也未必明晰,全靠仔细寻找加上运气。有的人可能一下子就找到了,有的人费时一世一生,还有的人,干脆终身在暗中摸索,不得所终。

飞速发展的现代科技,为我们提供了越来越多施展才能的领域。例如爱好音乐,爱好写作……都是比较传统的项目,热爱电脑,热爱基因

工程……则是近若干年才开发出来的新领域。有时想，擅长操纵计算机的才能，以前必定悄悄存在着，但世上没这物件时，具有此类本领潜质的人，只好委屈地干着别的行当。他若是去学画画，技巧不一定高，就痛苦万分，觉得自己不成才。比尔·盖茨先生若是生长在唐朝，整个就算瞎了一代英雄。所以，寻找才能是一项相当艰巨重大的工程，切莫等闲。

　　人们通常把爱好当作才能，一般说来，两相符合的概率很高，但并不像克隆羊那样惟妙惟肖。爱好这个东西，有的时候很能迷惑人。一门心思凭它引路，也会害人不浅。有时你爱的恰好是你所不具备特长的东西，就像病人热爱健康，矮个儿渴望长高一样。因为不具备，所以，就更爱得痴迷，九死不悔。我判断人对自己的才能产生深度的怀疑以至绝望，多半产生于这种"爱好不当"的旋涡之中。因此，在大的怀疑和绝望之前，不妨先静下心来，冷静客观地分析一下，考察一下自己的才能，真正投影于何方。评估关头，最好先安稳地睡一觉，半夜时分醒

来，万籁俱寂时，摈弃世俗和金钱的阴影，纯粹从人的天性出发，充满快乐地想一想。

为什么一定要强调充满快乐地去想呢？我以为，真正令才能充分发育的土壤，应该同时是我们分泌快乐的源泉。

他的最后一个问题是，你是怎样度过人生的低潮期的？安静地等待。好好睡觉，像一只冬眠的熊。锻炼身体，坚信无论是承受更深的低潮或是迎接高潮，好的体魄都用得着。和知心的朋友谈天，基本上不发牢骚，主要是回忆快乐的时光。多读书，看一些传记，一来增长知识，顺带还可瞧瞧别人倒霉的时候是怎么挺过去的。趁机做家务，把平时忙碌顾不上的活儿都抓此时干完。

毕淑敏
2016.8.16 北京

（京）新登字 083 号

图书在版编目（CIP）数据

女生，我悄悄对你说 / 毕淑敏著 .—2 版（修订本）.—北京：中国青年出版社，2016.10
（青春读书课）
ISBN 978-7-5153-4451-5

I.①女… II.①毕… III.①散文集 – 中国 – 当代 IV.①I267

中国版本图书馆 CIP 数据核字（2016）第 206359 号

女生，我悄悄对你说

毕淑敏 著

策　　划：	李钊平
责任编辑：	李钊平　彭慧芝
内文插图：	寂　地　吉　儿
装帧设计：	今亮后声 HOPESOUND panikouyugu@163.com
出版发行：	中国青年出版社
社　　址：	北京东四十二条 21 号
网　　址：	www.cyp.com.cn
编辑中心：	010-57350371
营销中心：	010-57350370
印　　装：	鸿博昊天科技有限公司
经　　销：	新华书店
规　　格：	880 mm×1230 mm　1/32
印　　张：	9
字　　数：	200 千
版　　次：	2014 年 1 月北京第 1 版 2016 年 10 月北京第 2 版
印　　次：	2016 年 10 月北京第 1 次印刷
印　　数：	97001-102000 册
定　　价：	32.00 元

如有印装质量问题，请凭购书发票与质检部联系调换　联系电话：010-57350337

Bi Shumin 毕 淑 敏

毕淑敏写给男生女生的心灵成长励志经典

青春读书课
陪你人生走一程

文学界的白衣天使、著名作家、心理医师
作品入选全国中高考语文试卷最多的作家之一

01.《每一次卓越都来自倔强的孤独》
02.《所有的动力都来自内心的沸腾》
03.《孜孜不倦地爱与被爱》
04.《用心触摸世界的温暖和美好》
05.《绝望之后的曙光》
06.《在生命的所有季节播种》
07.《别给人生留遗憾》
08.《女生，我悄悄对你说》
09.《男生，我大声对你说》
10.《为了雪山的庄严和父母的期望》
11.《大雁落脚的地方》

定价：32.00元（单册） 352.00元（套装）

美好人生，从最美的青春读书课开始

讀書人 Reader